百变发型

影音魔法书

瑞丽美人特刊部 著

辽宁教育出版社

版权合同登记号:图字 06-2009-113 号

图书在版编目(CIP)数据

百变发型影音魔法书/(台湾)瑞丽美人特刊部著. —沈阳:辽宁教育出版社,2009.6

ISBN 978-7-5382-8439-3

Ⅰ.百… Ⅱ.①台… Ⅲ.理发—造型设计 Ⅳ.TS974.21

中国版本图书馆 CIP 数据核字(2009)第 085234 号

辽宁教育出版社出版、发行

(沈阳市和平区十一纬路 25 号　邮政编码 110003)

三河市汇鑫印务有限公司

开本:850 毫米×1168 毫米 1/16　　字数:60 千字　　印张:9

印数:1—5000 册

2009 年 7 月第 1 版　　2009 年 7 月第 1 次印刷

责任编辑:徐　悦　吴　璇　　责任校对:刘　璞

特约编辑:喵　呜　　封面设计:艾维马克

ISBN 978-7-5382-8439-3

定价:32.00 元

目录 Contents

目录

Contents

目录 Contents

Part 1

快速变发
林叶亭教你早晨10分钟

现今短发又重新流行，众多艺人纷纷开始以短发亮相，发型达人林叶亭提醒大家：并非每个人都适合短发造型，还是要搭配脸形与发质状况决定。其实想要每天做出不一样的发型，还是大大推荐大家留长发最幸福哦！不过如果想要跟上这一波短发流行，林叶亭说：「好好整理与护发是相当重要的！」造型时，发量少的人可以利用浪版夹先夹出蓬度，颧骨较高的人，要再用发蜡抓出弹性烫般的飞扬感，这样的短发绝对万无一失。长发的话就更容易哦！可以利用电卷棒卷出不同卷度，像是空气卷般的弯度是现在日本最流行的。快速编发的话，建议大家简单地包头又好看又有气质。至于发品的选择，当然还是以定型液与发蜡效果最好，是编发做造型时不可缺少的好帮手哦！

采访手记！

采访林叶亭时，她正准备出发去日本勘察，不过她也先为我们预测即将流行的发饰有花朵、发箍、发带甚至是大量的丝巾，运用这些小物来做造型可以突显女人味，也能让春夏的发型更加缤纷有质感哦！

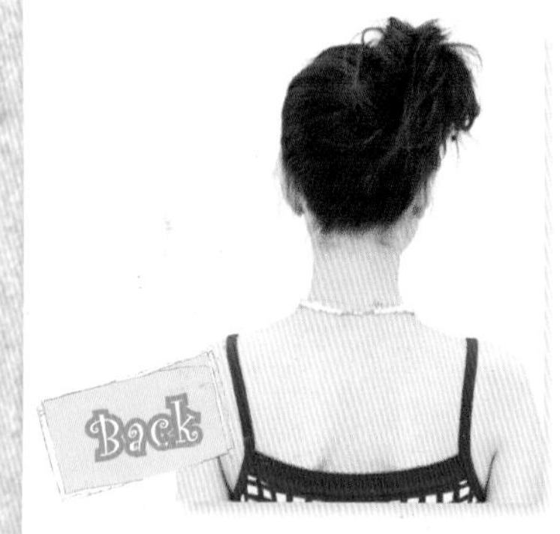

啊~~~乱七八糟的头发该怎么办?

解决方法!

1.整头扎起来

2.利用有气质的发饰

解 决 单 品

负离子能在头发表面形成锁水保护膜，有效防止分叉、断裂、毛躁及静电，加上四种造型梳让头发柔顺好梳理。

专业级负离子百变造型梳／飞利浦

让发丝不会毛躁，维持一整天的好发型!

沙龙级・隔绝凌乱定型喷雾／mod`s hair

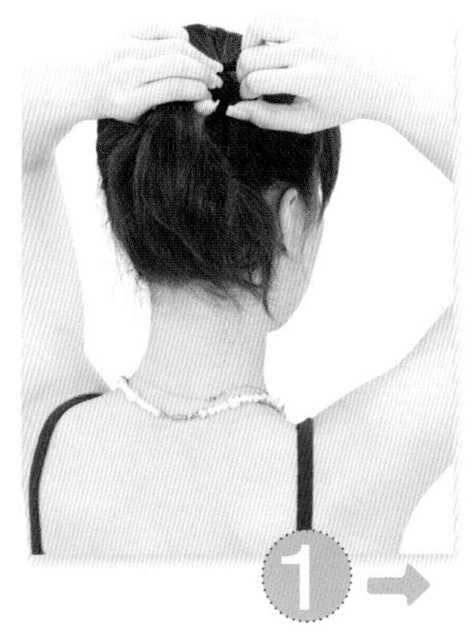

1 绑马尾

将头发用手指梳齐后，先用黑色橡皮筋绑起马尾，用手指梳的用意在让头发自然呈现发束感，不会有像梳子梳过一样过于整齐。

2 刮蓬

用尖尾梳将马尾整个倒刮刮蓬，技巧在于要小束小束地刮，这样蓬度才会起来也比较持久。

3 夹子后方固定

用黑色发夹先从下方后方夹起发束，让发束像一朵花一样的感觉就对了。

4 夹子上方固定

接着上面的发束也往前拉，出现小花一样的感觉夹起固定即可。

5 花朵发饰

最后将花朵发饰直接夹在包头的侧边就完成了简单利落的包头哦!

林叶亭的小提醒!

包头是最简单的发型，可以呈现出日系的感觉，也有简单利落的上班族气息，要特别注意的是包头不要绑得太高，那会看起来不够稳重，约在耳旁的位置刚好可以加上有大大的花朵妆点，看起来更有气质哦!

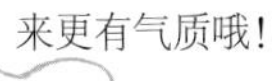

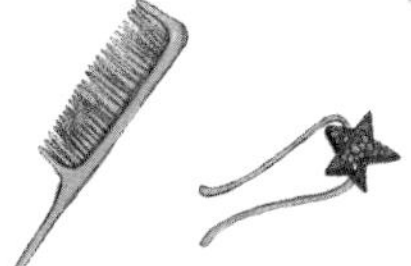

剪了短发该用什么发型好呢？

解决方法！

1.发蜡抓出卷度

2.利用小物（发箍或丝巾）做造型

解 决 单 品

添加了珠光粒子，擦上后头发会随着光线散发光泽。

跳舞光发蜡 # 粉红光 / 玛宣妮

浪版夹
先用浪版夹在头顶发束先稍微夹一下，让头型有弧度，会比较好抓出蓬度。

电卷棒
利用电卷棒卷发尾，记得卷的时候要一束卷一束不卷，这样才不会变得老气。

抓发尾
将发蜡涂抹于双手后，先抓发尾，利用手掌揉捏的方式抓出卷度。

林叶亭的小提醒！

短发比较不好整理，也不容易做造型，我这边建议大家上班前最快速的造型是用蓬松的空气感，也是日本现在很流行的发型，利用电卷棒的卷度与发蜡抓出蓬松的感觉就很有气质哦！

头顶抓蓬
接着利用手上剩余的发蜡，直接抓出头顶的蓬度，让发型有飞飞的空气感就可以。

戴上发箍
最后戴上发箍，展现出清新的自然感就完成，十分钟内就可以搞定的短发造型咯！

Part 2

发型工具正确使用

你不可不知的发型学前技巧

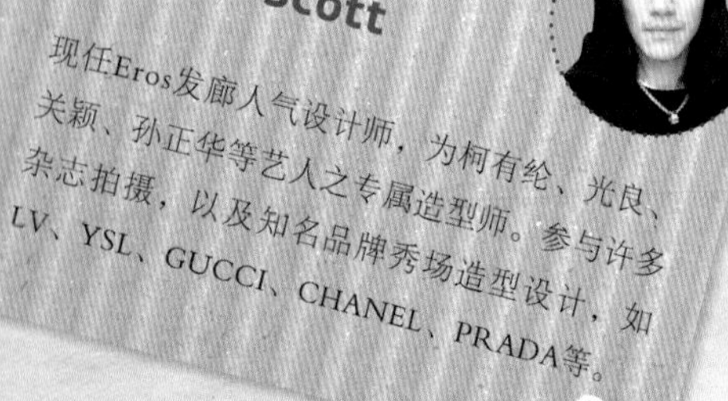

达人档案 Scott

现任Eros发廊人气设计师，为柯有纶、光良、关颖、孙正华等艺人之专属造型师。参与许多杂志拍摄，以及知名品牌秀场造型设计，如LV、YSL、GUCCI、CHANEL、PRADA等。

琳琅满目的发型工具，到底该怎么使用，常常搞得一头雾水吗？Don't Worry~就让Eros专业的设计师——Scott为大家解惑，让你可以轻松上手，什么工具都难不倒你！还有好多意想不到的整发小技巧，快来看看！替自己创造一头令人羡慕的美丽发型吧！

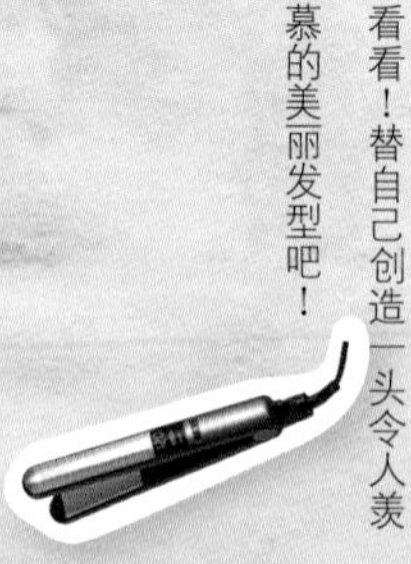

最基本必备的吹风机，不管什么发型都适用，不过设计师会特别建议直发的人使用吹风机，而卷发的人在吹风机上加一个烘罩，效果最好！

一定要学会的小技巧！

1 由上往下
使用时要将吹风机拿高，由上往下吹的方式最正确，才会整齐不乱翘。

2 拨松发丝
吹的时候要一边用手指拨松发丝，这样可以确保每根头发都被吹到。

3 发尾带过
最后发尾的地方只要稍微带过，不需要完全吹到全干，否则会过于干燥。

PLUS! 卷发还可以用这个！烘罩篇

1 由下往上
使用烘罩时与吹风机相反，要由下往上的方向吹，才能制造出轻盈蓬松感。

2 边抓边烘
利用手掌揉抓卷发，一边用烘罩吹干，这样的卷度最优咯！

TIPS! Check!
Eros设计师　Scott

使用吹风机或烘罩时，要记得不要太靠近头发，避免强力热风对发质的伤害，并且也要注意吹风机尾端不要卡到发丝。

吹风机的选择有这些！

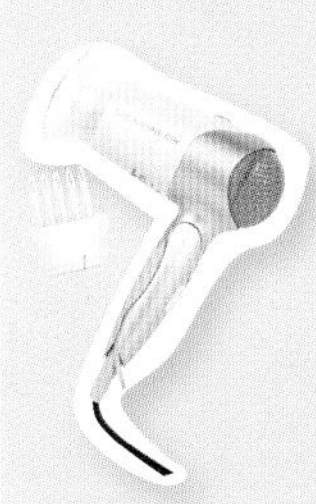

强调负离子的健康吹风机，让发丝随时保持光泽与滑顺。吹风机／飞利浦

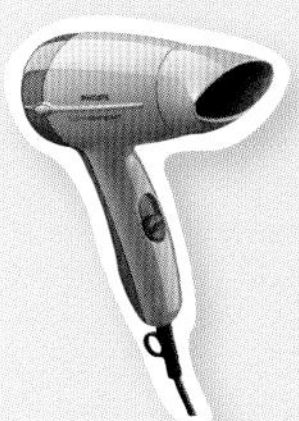

轻巧型的吹风机，旅行用也很方便。吹风机／飞利浦

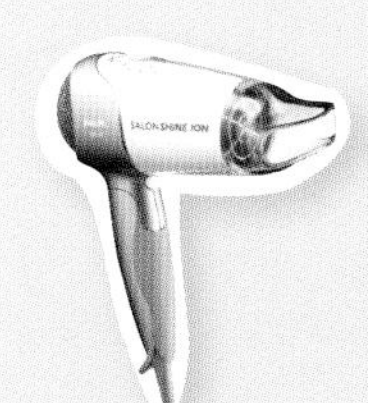

多段风速选择，让发丝不会受到高温的伤害，使用起来很顺手。吹风机／飞利浦

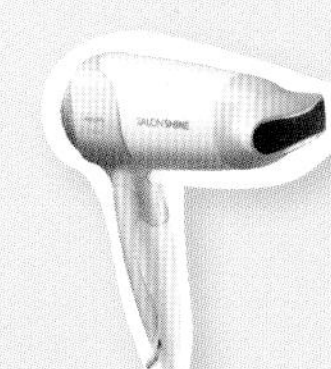

小小的连旅行都可以带的轻便型吹风机。吹风机／屈臣氏

适合崇尚自然派的美人儿使用，只要卷的方向对，且一次不要卷太多，就可以呈现出现在日本最流行的无造作发型哦！

一定要学会的小技巧！

1 大发卷

使用大一点的发卷，抓取发束，从发尾开始卷到底。

2 小发卷

接着使用比技巧一再小一号的发卷，卷起后方的发束。

3 两侧发卷并用

两边垂落的头发，利用大发卷往上卷致到耳下，卷出大大的卷度。

4 等待20分

发卷都卷好后，可先用吹风机吹10分钟，再等待约10分钟冷却后取下。

TIPS! Check!

Eros设计师 Scott

❶ 发卷建议多买些大、中型的效果最优。

❷ 上卷前可以先用摩丝或热造型品作底。

❸ 如要用吹风机加热，记得要用微风即可。

发卷的选择有这些！

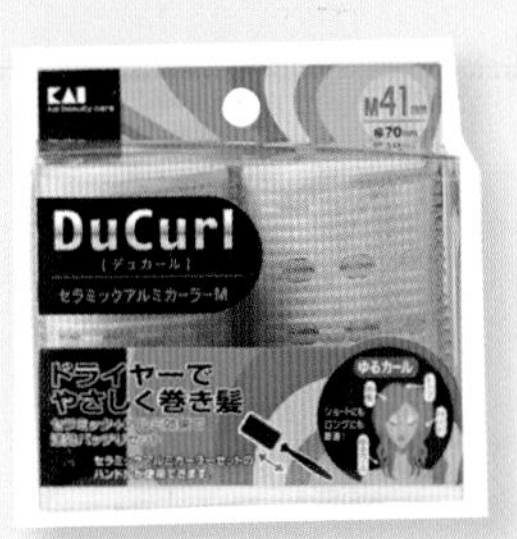

大发卷可以卷两侧与后脑勺的头发。发卷／屈臣氏

小发卷可以用来卷刘海，或是创造蓬松的弧度。发卷／屈臣氏

如果没有时间慢慢使用平板夹的人，可以选择快速的离子梳，搭配吹风机，一样可以完成平板夹的效果，发丝也很亮丽哦！

一定要学会的小技巧！

1 直接夹发丝

可以大把大把地夹住头发，先固定好顺手的角度。

2 吹风机顺着吹

将吹风机调到微风，顺着吹到发尾放开，发丝马上变直。

3 夹刘海弧度

尤其刘海用离子梳可以创造自然的弧度，不会显得死板。

离子梳的选择有这些

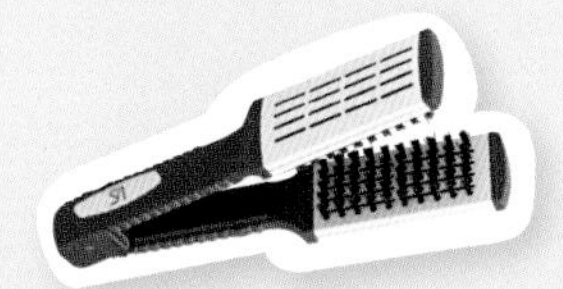

可以一边按摩的离子梳，造型同时也可以很健康呢！陶瓷高效能直发梳／屈臣氏

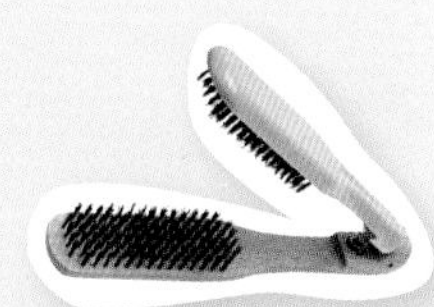

木头的离子梳，发型师们都爱用！离子梳／美材行

TIPS! Check!

Eros设计师 Scott

❶ 一般来说如果是棕毛的离子梳，效果最好，不过一般美妆店卖的离子梳，具有按摩效果，也是不错又划算的选择。
❷ 离子梳与平板夹的差别：平板夹的效果比较好，效果比较久，发质看起来较柔顺，离子梳则方便省时，虽然效果没有平板夹持久，但是比较自然，可以保持头发的弧度。
❸ 头发要全干的时候使用，不然容易拉伤发丝，得不偿失。
❹ 吹发之前，可以先抹上直发摩丝，效果会更好哦！

自然卷的救星绝对是它！传热速度快，可以达到缩毛的效果，所以用后会觉得不但头发变直，连发质都变好了呢！

一定要学会的小技巧！

头发分层

将头发分上下层（如果发量多的可以分三层），从最下层开始夹起。

发尾松开

拉到发尾的部分，可以慢慢松开夹子，就能避免发尾太干分叉。

轻夹刘海

夹刘海时也要注意不要从发根夹起，并且要轻拉，刘海才会有自然的弧度。

大把顺过

最后在表面喷上定型液，大把将头发再顺过一次就完成。

TIPS! Check!

Eros设计师 Scott

❶ 使用平板夹时，一定要记得先打底，护发精华或是抗热造型品都可以。

❷ 记得不要夹到发根，发型才会自然，也不会不小心烫伤头皮。

❸ 在拉平板夹时，可以有弧度地往下拉，这样就不会显得直发太过僵硬。

平板夹的选择有这些！

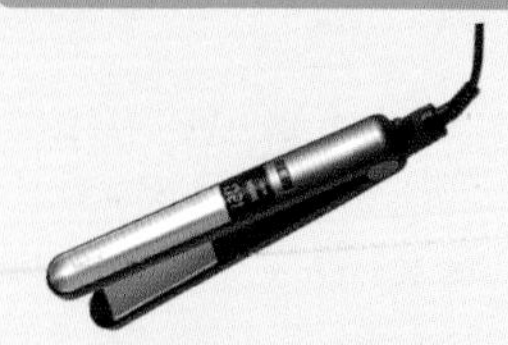

轻盈的平板夹，不会感觉很重，使用起来也很顺手。AP4669温控电器石直发器/飞利浦

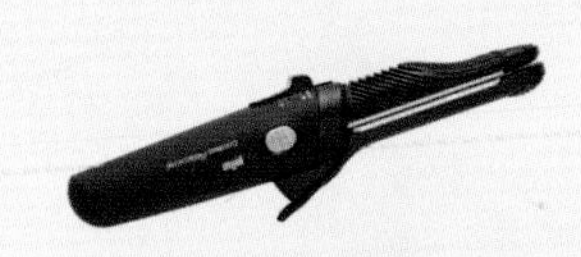

不会伤害发丝的陶瓷热板，让发丝越夹越亮丽。BSS魔法平板烫／德国百灵

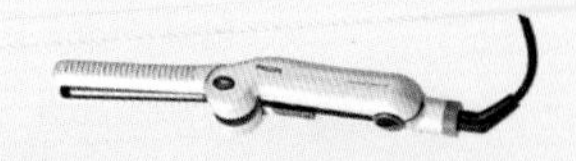

简易携带型的平板夹，是大家都可以买的款式。H4646旅行用直发器／飞利浦

浪板夹越来越受重视的原因，是因为近年大家对于编发有一定的熟悉，如果在做造型时，可以在发根处夹一点玉米须，造型更好看咯！

一定要学会的小技巧！

夹后脑勺

随意抓取发根的头发夹住，在心里默数五秒就可以。

夹里层

接着夹里层的发根，创造出蓬蓬的感觉。

夹外层

再夹外层的发丝，记得要跳着发束夹。

刘海三秒

刘海只要夹一点根部，并短短三秒就好。

浪板夹的选择有这些！

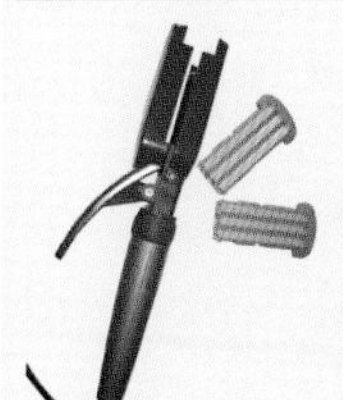

可以拆取式整发器，较厚的浪版夹也比较不会伤害发丝。飞利浦专业级百变造型八合一整发组／飞利浦

铝制材质的浪板夹，间距也比较小，可以夹出细小的波浪。浪板夹／aura a team

TIPS! Check!

Eros设计师 Scott

❶ 如果发量多的人，建议一层夹、一层不夹，这样头才不会太蓬。

❷ 发髻的边缘线不要夹到，发型会较自然。

❸ 每段夹的时间约是五秒钟就可以了。

利用电卷棒可以呈现多种不同的造型，最基本的卷度分为：外卷、内卷与集中卷，各有不同风情。

电卷棒 百变LOOK比一比！

LOOK 1

活泼俏丽的外卷发是这种感觉！

LOOK 2

浪漫的内卷是这种感觉！

LOOK 3

可爱的交错卷是这种感觉！

超人气电卷棒有这些！

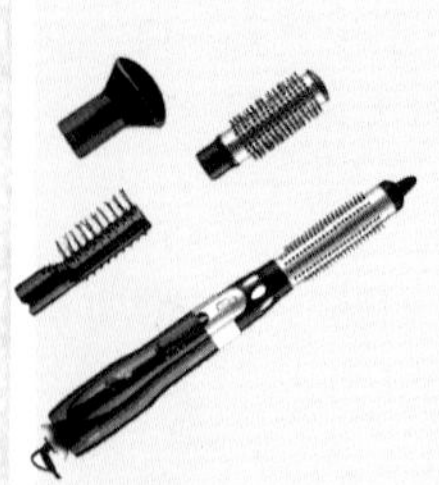

负离子能在头发表面形成锁水保护膜，有效防止分叉、断裂、毛躁及静电。专业级负离子百变造型梳 附四造型梳／飞利浦

大size的电卷棒，有五段温控，在卷发时可以利用温度调整自己想要的卷度。电气石陶瓷温控32毫米卷发夹／沙宣

日本原装进口的卷发器，拥有多段温控，不会伤害发丝，中款的size，卷度是一般人都可以选用的。

多段温控整发器／台隆手创馆

有LCD显示温度，30秒内即可达到100度，不会因面板散热不均而导致整发效果不好，立即拥有效果持久的卷度。

HP4654沙龙级温控电卷棒／飞利浦

TIPS | Check

Eros设计师 Scott

电卷棒的选择一般来说推荐大、中款的类型，如果想要卷度更加持久，可以卷完后立刻用夹子夹住，等待头发冷却后再放下，这样就能维持长时间的卷发哦！

必学!三大卷发技巧Check!

LOOK 1　外卷Step Go!

将电卷棒以反手拿（如model所示），会比较好上手。

将要卷的发束先拉好，往上拉顶住电卷棒，再进行卷发。

电卷棒持续打开，将头发往自己的方向卷到底为止。

在心里默数10秒钟，就可放下发束，换卷其他发束。

LOOK 2　内卷Step Go!

将电卷棒正手拿，从发束中央开始夹起。

夹住头发后，将电卷棒往内卷固定头发。

固定头发后，就可直接将电卷棒拉到发尾处。

最后将电卷棒直接往上旋转，头发就会卷上去！

LOOK 3　交错卷Step Go!

首先将发束在手上扭转到底，成细细一条。

将电卷棒反手拿，打开顶住步骤1扭转的发束。

接着将发束完全缠绕住电卷棒就可以。

在心里默数20秒，就可放下，如此的卷度会超明显哦！

发型工具

07 | 外出型电卷棒

日本药妆店很流行的外出型电卷棒，现在在台湾终于也可以在美妆店轻松买到，不只携带方便，有些可以直接用电池，让大家随时可以保持美丽卷度。

一定要学会的小技巧！

大把抓取发束

先大把抓取发束，发量约为早上使用电卷棒的2倍。

缠绕电卷棒

直接缠绕电卷棒，等待约10秒钟就可以。

还有另一种达人推荐小秘诀！

不用外出型电卷棒也可以办得到唷！

大把抓取发束

同样先抓取约白天电卷棒2倍的发量。

扭转夹起

以扭转的方式直接夹起等后约30分钟再放下。

Eros设计师 Scott

其实在外面要快速补卷头发的话，我会建议大家一次大把地抓取发束，这样不但快速且效果自然，不会让头发显得更凌乱。

外出型电卷棒的选择有这些！

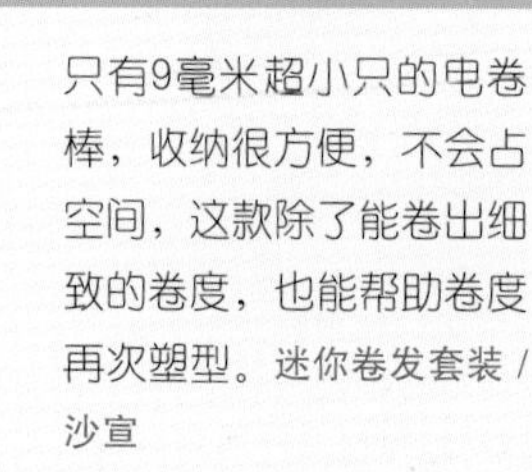

只有9毫米超小只的电卷棒，收纳很方便，不会占空间，这款除了能卷出细致的卷度，也能帮助卷度再次塑型。迷你卷发套装 / 沙宣

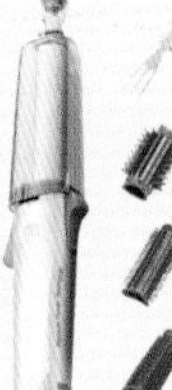

用电池就可以的电卷棒，放在包包里就很方便哦！全球独家白金热力能源技术，让头发卷度可以更加持久有光泽。魔发速成造型梳C30S / 德国百灵

Plus! 分辨你的发质属于哪一种

油性发质CHECK表

□头发或头皮一到下午就会出油

□发丝属于摸起来滑顺且软的

□经常会觉得头皮痒

□总觉得头发有黏腻的感觉

□用面纸按压会有油印产生

如有以上情况，则属于油性头皮

TIPS!

① 选择清爽不含乳霜的洗发产品。

② 避免经常护发，约一星期一次就可。

③ 避免戴帽子，否则会有闷住头皮的状况。

中性发质CHECK表

□手指可以轻易地穿过发丝到发尾

□一般来说约两天后才会有出油现象

□发丝很清爽且没有分叉现象

□用了过于滋润的产品会有头皮屑

□发丝摸起来有弹性且比较细

如有以上情况，则属于中性头皮

TIPS!

① 要依照季节变化洗发产品。

② 一星期进行两次DIY简易护发。

③ 避免热风长时间直吹头发。

干性发质CHECK表

□手指顺过头发时中间会有阻碍感

□梳头发时，常会一起扯掉一些发丝

□三天不洗头也不会有油油的感觉

□天气太冷时头皮不但会痒且有头皮屑

□即使用了润发乳，头发还是很干燥

□发丝摸起来较粗硬

如有以上情况，则属于干性头皮

TIPS!

① 可以选择高滋润度的洗护产品。

② 每天都可以进行DIY护发。

③ 每个月要去salon进行深层护发。

④ 选择材质较好的梳子，以免破坏头发毛鳞片。

发型工具 08 | 其他必备小物

想要创造出美丽的发型，各式各样的工具绝对是必要的，除了先前所提到的各种造型工具外，每个人家里必备的10种美发小物，可以让你更加轻松变发，创造无限可能发型！

必备1 宽梳

洗完头发或是头发打结严重时，可以用宽梳梳开，避免用力过猛，拉扯头发甚至造成头发分叉等现象。

必备2 扁梳／尖尾梳

除了具有可以分线的基本功能外，对于编发大有帮助的尖尾梳，还能调整发流与线条感，让造型看起来更不造作，另外造型师经常用来倒刮头发的工具也是用它完成哦！

必备3 发夹／毛夹／U型夹

大家都非常熟悉的黑色发夹，不管有没有编发都很好用，编发的时候可以不露痕迹地呈现完美发型。一般来说发夹等于毛夹，几乎所有编发都可以固定，U形夹则能创造出较蓬松的感觉，两者呈现的效果不同，大家可依照想要的发型变换，美发材料行都在整包卖，建议大家可以多买一些。

必备4 无痕固定夹

无痕固定夹的最大作用在于不留痕迹，因为是宽版设计，所以在变发时可以将某些比较小部分的头发固定，让编发可以更加轻松完成。另外还有一个小技巧，就是如果是自然卷，或是刘海发流不顺的人，可以在睡觉时候夹起，这样隔天早上起来就能呈现自然的头发弧度。

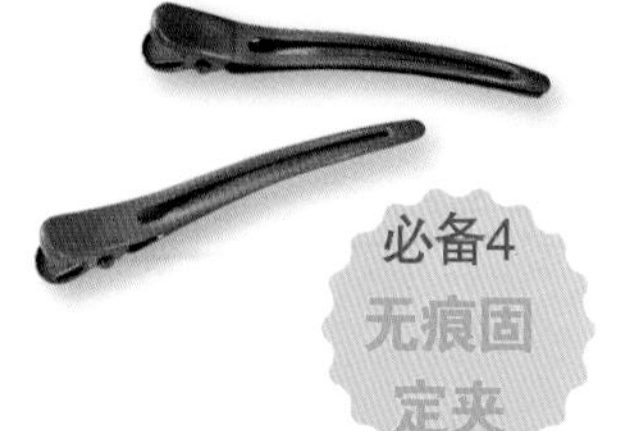

必备5 橡皮筋

从小用到大的橡皮筋，可以使头发不凌乱，尤其在使用发饰时，如果先用橡皮筋作基底，绑发饰时会更方便，不怕失手，不过橡皮筋一不小心就会绑得太紧，这点在编发时要特别注意。

这样用最流行！

必备6
按摩梳

近两年来新流行的按摩梳，可以促进头皮的循环，让头发生长更快速，并且达到舒压的效果。

最适合直发的人使用，搭配吹风机，一边吹一边使用螺旋梳顺下，头发可以呈现自然的弧度，尤其头发到肩上的人，如果发尾有乱翘的问题，可以在吹头发时利用螺旋梳往内吹，就能轻松解决乱翘的问题咯！

必备7
螺旋梳/圆形梳

必备8
鬃毛梳

设计师们都极力推荐的鬃毛梳，也有人称为猪鬃梳，因为它可以防止静电，让发质不会因为经常梳整受损，是很保护发丝的梳子，所以建议每个人都一定要有一把，好好保护自己的秀发。

这样用最流行！

必备9
穿发棒

美发材料行都在卖的穿发棒，对于刚开始学习编发的女生很有帮助，且随着发束多寡，编出来的发型都不一样哦！大家可以买回家玩玩看！

无论是头发分区、还是编发时都很好用的鹤嘴夹，可以一次大量地夹起头发，好用又专业，绝对会让你自己在进行编发时省时很多哦！

必备10
鹤嘴夹

TIPS! Check!

Eros设计师 Scott

在使用完电卷棒后，待头发全部冷却，用按摩梳将头发梳开，如此一来，卷度与发丝的分布会相当平均且自然哦！

01 | 电卷棒＋浪板夹＋U形夹＋扁梳＝优雅名媛发

利用上下两层的公主头，加上浪板夹的夹持，可以表现出头发的蓬度，下面利用电卷棒卷出飘逸卷度就是优雅的发型。

浪板夹创造蓬蓬圆形头

电卷棒创造发尾大卷度

Step by step！按步骤一次就学会！

分区卷电卷棒
首先将头发分区，将头发用电卷棒一一卷起，只卷发尾部分就好。

扭转头发
接着先将头发分成两区，抓取下层的发束，顺时针扭转到底。

U形夹固定
用U形夹由上往下倒插入，就能牢牢固定扭转的发束。

U形夹固定
最后上层的发束分左右两束，往中央交叉扭转，用U形夹固定。

倒刮发束
使用扁梳倒刮上层的头发，让头发看起来较自然。

使用浪板夹
上层的头发，在发根处轻轻夹浪版夹，营造出蓬松的感觉。

NG!

固定发束时，千万不可以将头发压成平的，后脑勺看来扁扁的不好看唷！

02 | 发卷 + 黑色发夹 + 扁梳 = 甜美气质的摇摆卷发

走起路来要有风吹过的摇曳效果，就一定要用发卷，这样的卷度看起来像是天生的头发一样自然，比用电卷棒还能快速呈现甜美感唷！

夹出优雅端庄的形象
发卷呈现出摇曳飘飘感

Step by step！按步骤一次就学会！

上发卷

除了整头上发卷外，最重要的是两侧的头发卷度要最明显，这样才有甜美的感觉。

起码两个发卷

两侧的发束各上两个发卷的卷度为最好。

倒刮头发

将上层的头发倒刮，呈现蓬松、自然的感觉。

扭转发束

抓出公主头发束，往逆时针扭转两到三圈。

发夹固定

用黑色发夹由下往上夹起固定就完成。

挑松头发

如果不小心发束扭转过紧，最后可以再用扁梳的握柄轻将头发挑松。

NG!

一般来说如果不是做头发基底或是绑包头的话，避免用橡皮筋可以让发型看起来较为蓬松与自然。

Part 3

脸形VS发型 利用万年发型修饰你的脸形

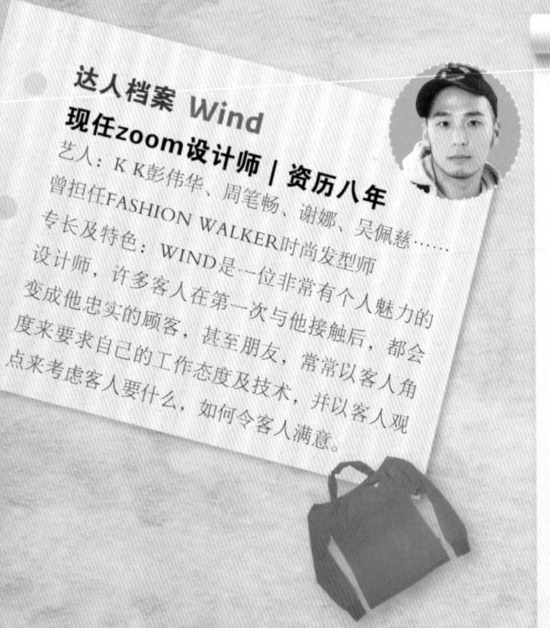

达人档案 Wind

现任zoom设计师｜资历八年

艺人：K K彭伟华、周笔畅、谢娜、吴佩慈……

曾担任FASHION WALKER时尚发型师

专长及特色：WIND是一位非常有个人魅力的设计师，许多客人在第一次与他接触后，都会变成他忠实的顾客，甚至朋友，常常以客人角度来要求自己的工作态度及技术，并以客人观点来考虑客人要什么，如何令客人满意。

发型与脸形有很重要的关系。一个合适的发型除了可以让你变得温柔，也可以让你变得艳丽动人，因为每个人的脸形、发质及肤色不同，设计出一个发型能突显你的优点，掩饰你的缺点才优！因此想要找到适合自己的发型，先了解自己的脸形是很重要的！

椭圆脸VS圆形脸VS长形脸VS方形脸VS倒三角脸

椭圆脸

特征：脸长约是脸宽的一倍半，额头宽于下巴。也有人称其为标准的鸭蛋形脸。

特色：在专家眼中是一个完美的脸形，长发短发皆适宜，可大胆地尝试任何发型。

圆形脸

特征：前额和下巴的距离等于两侧脸之间的距离，也就是脸长度大约相等于脸宽度。

特色：很可爱很孩子气，散发出温柔婉约的女人味。

长形脸

特征：脸长比脸宽还要长，高的前额和长的下巴呈现出特长的长方形的脸。

特色：容易给人成熟老气的印象。

方形脸

特征：前额明显很宽，下颌很宽又有角，非常强烈的下颌轮廓及脸际线。

特色：给人严肃、男性化的印象。

倒三角脸

特征：前额和下颌轮廓是狭窄的，颊骨是宽阔的。

特色：知性冷酷，具有中性的美感。

看看你是哪种脸形

Step1 找一张脸部轮廓清楚分明的大头照。

Step2 在照片脸部的额头中间、下巴、两侧太阳穴、两边面颊最宽的地方、腮帮子两边，这几个地方各点一个点。

Step3 把这些点连起来，后连成的形状就是你的脸形了。

在此，我们区分了五种脸形，加上60款不同的万年发型，你一定可以找到属于你的完美发型！

Style 01

长发VS圆形脸

搭配建议

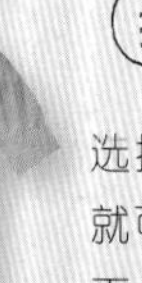

推荐1

选择V领上衣，就可以修饰没有下巴的圆形脸哦！闪色长版针织/Scottish house

推荐2

可爱的蝴蝶结发饰，分散圆形脸的注意力。

推荐3

利用垂坠形耳环，拉长你的脸形。同心结耳环/幸运草

Step by step! 跟我这样做!

Step1 绑松松公主头

将后面的头发以指头松松抓起一撮，绑成公主头！注意两侧前发都要留一撮！而且头顶处也要松松的，千万不要绑很紧让头顶变成扁扁的！

Step2 固定成包包头

将这撮公主头以顺时针的方向旋转成一个包包，然后以黑夹子固定！

Step3 发尾卷度

使用电棒卷，在发尾处制造出微微的卷度。

Step4 发蜡定型

最后双手沾取发蜡，以由下往上的方式，利用指腹将卷度抓松并定型。

必备工具

发蜡

含超水感因子，能帮助恢复头发含水量，使秀发拥有润泽柔顺的视觉感。超水感极致发蜡60g/沙宣

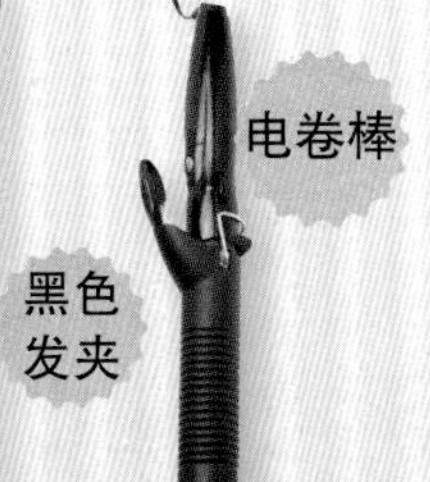

黑色发夹

电卷棒

修饰原则

WIND・设计师 by Zoom

✕ 又直又长，将头发中分，或是让头发紧贴头皮完全没蓬松感，会使脸显得更圆。

✕ 无刘海的马尾发型绝对NG！

○ 可爱的妹妹头刘海，或是包包头将脸形拉长。

○ 两侧头发蓬松靠在耳际处，不要露出耳朵。

Style 02

长发VS圆形脸

Side

Back

清新学生味

搭配建议

推荐1

落肩上衣有修饰圆脸的效果，露出锁骨可以让脸形看起来修长。

宝蓝露肩针织／Scottish house

推荐2

利用比较具有垂坠感的项链，才能修饰圆形脸。

心の秘密项链／Mia jewelry

推荐3

长形链可以拉长脸部比例哦！项链／Folli Follie

Step by step! 跟我这样做!

Step1

高马尾

使用手指将后面的头发抓起，使用黑发圈将头发绑成高高的马尾！

Step2

刮蓬头发

再用梳子将马尾由上往下刮蓬。

Step3

逆时针绕成包包

将已经刮松的马尾往前，以逆时针的方向绕成一个包包，然后将发尾使用发夹固定。

Step4

发蜡定型

最后使用双手沾取发蜡，抓顺刘海。

必 备 工 具

发蜡

让头发直顺平滑，轻柔不纠结。

滑顺直发发蜡/Liese

黑色发圈

黑色发夹

梳子

Style 03

长发VS倒三角脸

✱慵懒柔美风✱

Side

Back

搭配建议

推荐1

圆形领以及温暖的色调，让你看起来比较温柔。粗针织罩衫／www.izzue.com

推荐2

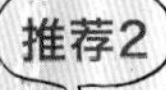

选择一些柔美可爱的小饰品，可让倒三角脸形变得比较可爱。珍心爱项链／YUME

推荐3

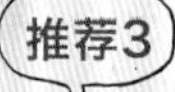

彩色珠珠让你看起来更迷人。项链／Ans

Step by step！跟我这样做！

随意中分
使用指腹将前发随意中分，千万不要分得太过整齐。

刮松头发
将头顶的头发抓起一撮，使用梳子由上往下稍微刮蓬松。

发尾大卷
使用电卷棒将发尾的长发弄卷，两侧刘海可稍微往外制造一个大卷度。

摩丝定型
双手蘸取卷发摩丝，将整撮发尾由下往上轻抓，有帮助卷度定型的效果。

卷发摩丝

造型同时补水，卷发自然不僵硬。

无造作柔卷摩丝/mod's hair

梳子

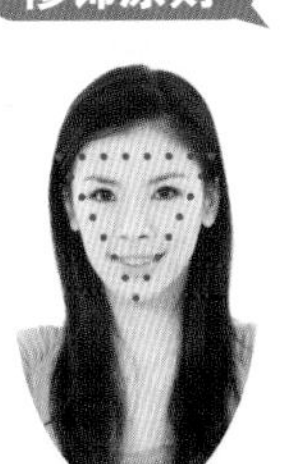

电卷棒

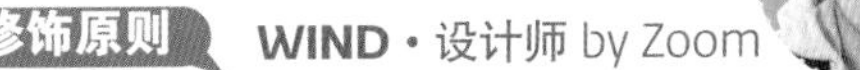

WIND·设计师 by Zoom

✕ 平直的长发会使脸形的下巴看起来更常尖锐。

✕ 将两侧的头发梳得非常整齐，露出整个脸形。

○ 可爱的BOB式刘海。

○ 中分两侧的长刘海。

Style 04

长发VS倒三角脸

✷元气OL风✷

推荐1

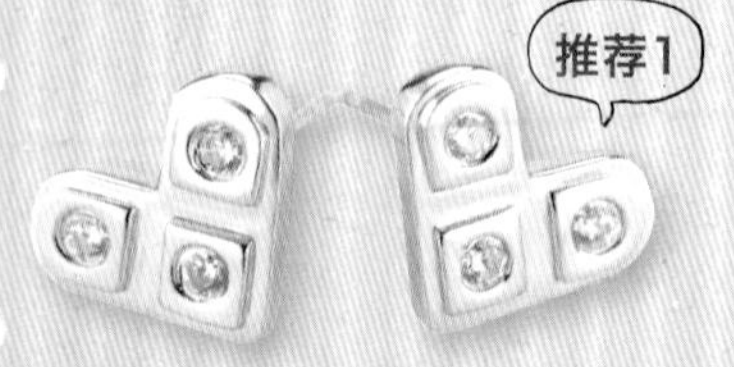

利用可爱的耳环增加甜美度。

三星二意耳环/YUME

推荐2

小圆领让你看起来比较甜美。

衣/TOP GIRL

推荐3

秀气的圆领加上可爱的设计感，修饰你的长形脸。

衣/GIORDANO

Step by step! 跟我这样做!

Step1

前发三等份

将前发分成三等份。

Step2

由下往上刮蓬

抓起中间那撮头发，由下往上刮松。

Step3

固定前发

然后抓起这撮前发，稍微往前推，呈现出松松的圆弧状，以发夹固定。

Step4

用定型液定型

最后喷上定型液固定。

必备工具

定型液

雾状的细小分子可固定造型，隔离空气中的水气，增强发型的维持。

定情雾500ml/绮色佳

黑色发夹

定型液

创造出自然的定型效果。

造型定型液/诗芬

梳子

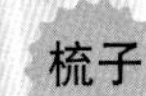

Style 05

长发VS方形脸

Side

Back

✴ 俏皮可人儿 ✴

搭 配 建 议

推荐1

可以选择粉嫩颜色的服装让你看起来更甜美。

珍珠饰针织上衣/Scottish house

推荐2

饰品可以选择比较圆形的，修饰你有棱有角的脸形。

希腊风情/幸运草

推荐3

利用圆形的项链修饰方形脸。甜甜圈的秘密/Mia jewelry

Step by step! 跟我这样做!

Step1 固定前发

将头顶的头发，用指腹随意抓斜一侧，然后使用黑色发圈固定。

Step2 抓两侧头发

将两侧的头发抓到脸两旁，然后使用指腹由下往上稍微抓松，有遮掩方脸形的效果。

Step3 用定型液定型

接着使用定型液，由下往上喷，帮助发型定型。

Step4 可爱发夹

最后再选择可爱的发饰夹上即可。

必备工具

定型液

可以抵抗地心引力，持久强力固定发型。

超强定型液300ml/沙宣

黑色发夹

黑色发圈

修饰原则

WIND · 设计师 by Zoom

× 头发中分和头发方向往后的发型。

× 几何直线剪法的刘海，更强调方形。

○ 自然大波浪卷发是修饰方形轮廓的最好办法。

○ 顶部尽量蓬松，有自然弯曲发梢的偏分发帘，会缓和方形脸坚硬的轮廓线。

Style 06

长发VS方形脸

复古随性派

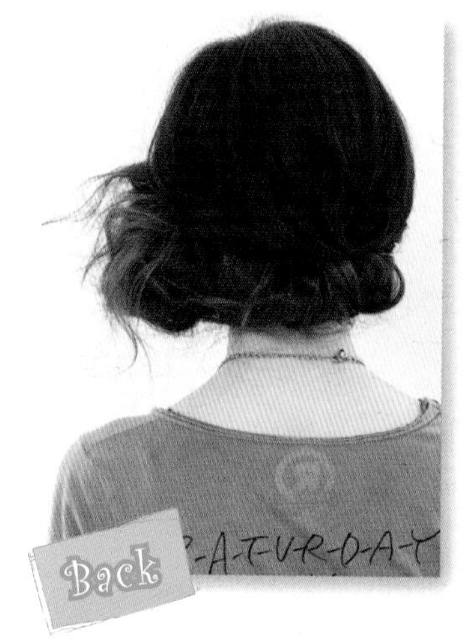

搭配建议

推荐1

亮晶晶小珠珠项链能将你修饰得更柔美。

项链/ans

推荐2

可爱的圆领能让方脸看起来柔和一点。

衣/GIORDANO

推荐3

圆形款式的项链也能修饰方形脸哦！

项链/ESPRIT

Step by step! 跟我这样做!

Step1

头发以1:4的分量分

先将头发以1:4的分量分成上下两撮，然后使用夹子先将上层头发固定。

Step2

下层头发绕到斜侧

接着将下层的头发，整撮以逆时针旋转绕到斜侧。

Step3

以黑发夹固定

接着将这撮头发的发尾，塞进头发内然后使用黑夹子固定。

Step4

戴上发箍

最后再将刘海顺好，从耳后戴上可爱的发箍。

发箍

黑色发夹

长发VS椭圆形脸

✱浪漫甜姐儿✱

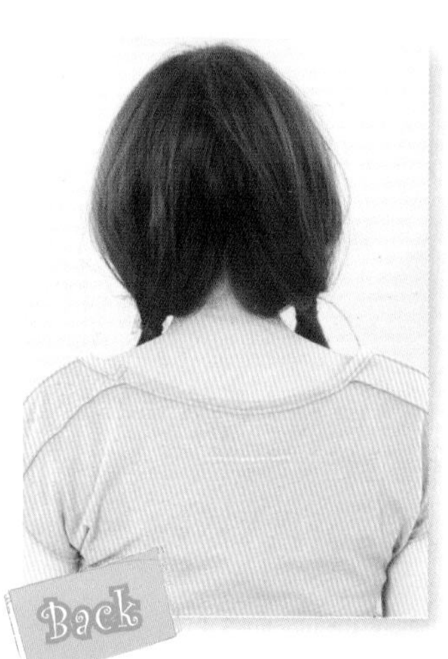

搭配建议

推荐1

可爱的饰品都可以增加活力度。

甜心兔小耳环/YUME

推荐2

搭上带点美式乡村风格的格子衬衫，就多了点牛仔味。

美式格子棉衬衫/www.izzue.com

推荐3

俏皮的项链也能帮你可爱度加分哦！

方形项链 / YUME

Step by step! 跟我这样做!

Step1

随意分发

将头发随意分成两撮，不要有太刻意的分线。

Step2

松松地绑住头发

然后使用黑发圈松松地将头发绑起来，高度在肩膀上即可。

Step3

刮松发尾

使用指腹由下往上刮松，将发尾弄得蓬松微乱。

Step4

用定型液定型

最后喷上定型液定型。

必备工具

定型液

创造出自然具有蓬松感的定型效果。有条不紊轻质定型雾/ORIGINS

创造出犹如海风吹拂后的凌乱却性感的造型感。海风造型雾s/KMS

黑色发圈

修饰原则

WIND・设计师
by Zoom

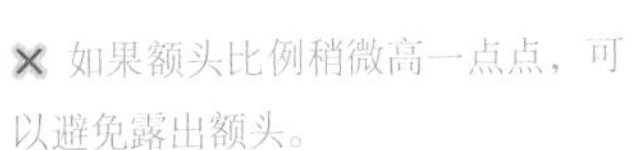

× 如果额头比例稍微高一点点，可以避免露出额头。

○ 比较完满的脸形所以可以搭配任何一种发型。

Style 08

长发VS椭圆形脸

Side

Back

✷ 顽皮小天使 ✷

搭 配 建 议

推荐1

让可爱的苹果耳环露出来，超可爱。

耳环/Nina

推荐2

爱心项链让你看起来更温柔。

项链/ESPRIT

推荐3

带领子的小洋装最适合将头发绑起来了。

洋装/GIORDANO

Step by step! 跟我这样做!

Step1

制造出卷度

先将整头头发使用电卷棒制造出卷度，然后将头顶的头发高高抓起一撮。

Step2

使用黑发夹固定包包头

将这撮头发往前，用黑发夹固定，创造出一个松松小包的效果。

Step3

由下往上刮松

接着使用梳子，将头发由下往上刮松，创造出蓬松感。

Step4

用定型液定型

最后喷上定型液固定。

定型液

适用于看起来扁塌没有光泽的短发。可用于局部或是整体造型。

湿亮喷雾造型胶/沙宣

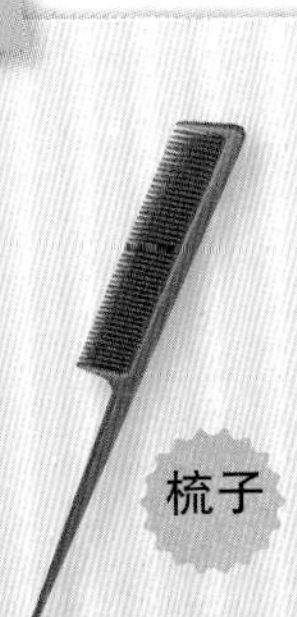

梳子

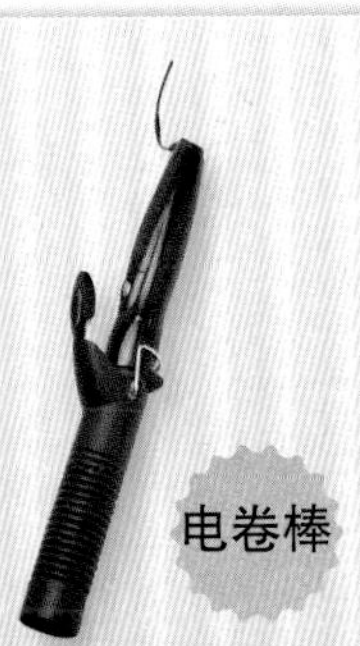

电卷棒

黑色发圈

黑色发夹

Style 09 长发VS长型脸

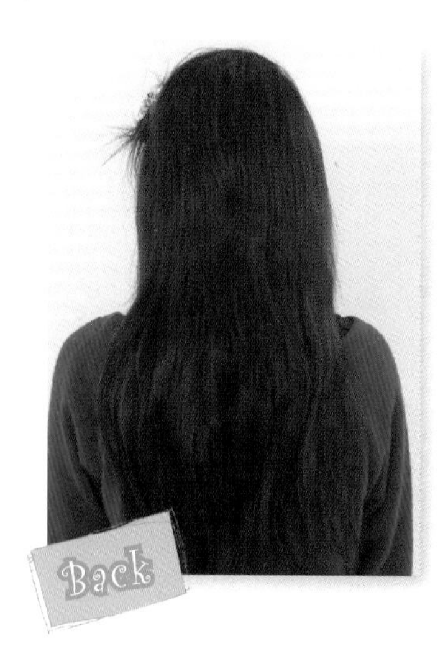

搭配建议

推荐1

可利用圆形领子以及粉嫩的颜色来修饰长形脸。

粉色珠饰薄毛衣/Scottish house

推荐2

选择比较宽的饰品，修饰比较锐利的长形脸。

爱情结项链/YUME

推荐3

圆滚滚的耳环修饰你的长形脸。

耳环/Ans

Step by step! 跟我这样做!

前发刮松

将前额的刘海抓起，使用梳子由上往下刮蓬。

刘海抓到斜侧

接着将这撮刘海抓到一侧，接着发尾以顺时针旋转。

以黑发夹固定发尾

接着再将发尾以顺时针往后，以黑发夹固定。

发饰装饰

接着将发饰夹在头发上，遮住黑发夹。

必备工具

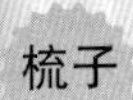

梳子

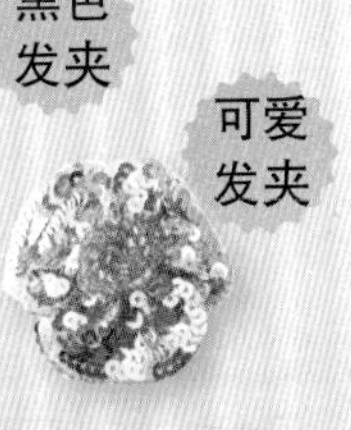

黑色发夹

可爱发夹

亮片发饰/薇薇

修饰原则

WIND・设计师 by Zoom

× 不要留刘海以及又长又直的发型。

× 在头顶增加高度的发型。

○ 前额多留些刘海，两边发型丰满蓬松，不要紧贴脸颊。

○ 前发则可以采用7:3比例的偏分，或者还可以更偏一点，这样可以使脸看上去显得比较宽、比较短。

Style 10

长发VS长型脸

搭配建议

推荐1

俏皮的圆形项链让你看起来更可爱。

苹果的滋味项链/Mia jewelry

推荐2

利用可爱的蝴蝶结发饰，创造出可爱感。

蝴蝶结发饰/薇薇

推荐3

带有春天气息的耳环，贴在耳朵上修饰脸形。

耳环/Angel baby

Step by step! 跟我这样做!

使用吹风机将头发吹蓬

先将前发使用吹风机吹蓬松。

将前发以2:8分边

使用梳尾将前发以2:8比例分边，可以将脸修饰得比较圆。

编松松辫子

将左侧的头发抓起一侧，然后编松松的辫子。接着再抓起右侧的一撮头发，编松松的辫子。

以发饰将两边辫子固定

接着将两侧的辫子拉到中间，使用发饰固定。

必备工具

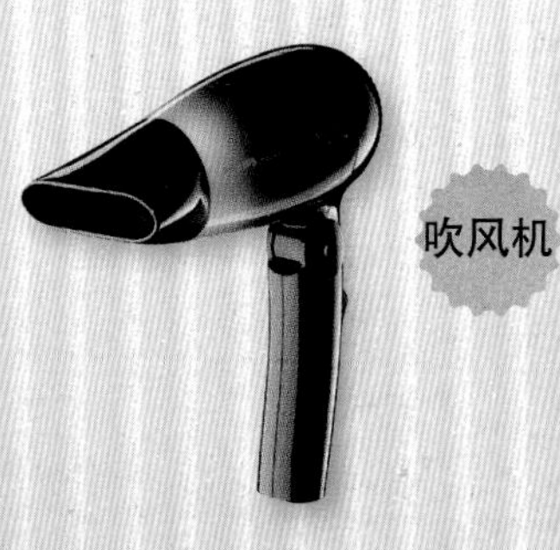

Style 11

中长发VS圆形脸

✷ 气质名媛味 ✷

搭 配 建 议

推荐1

利用垂坠性强的长形项链能修饰圆脸蛋。希腊风情/幸运草

推荐2

将扣子打开，利用大V领修饰圆形脸。衣/2%

推荐3

利用圆形的项链修饰方形脸了！甜甜圈的秘密/Mia jewelry

Step by step! 跟我这样做!

Step1 以黑发夹固定两侧头发

将两侧的头发松松的往中间抓成一撮，然后使用黑发夹固定。

Step2 抓两侧头发

接着将前发稍微往侧边顺过，然后戴上可爱的发箍。

Step3 发尾制造卷度

然后使用电卷棒将发尾的头发制造出自然的卷度。

Step4 用定型液定型

最后喷上定型液定型。

必备工具

定型液

具有自然的定型效果，适合卷发。卷发造型喷雾/SEXY GIRL

电卷棒

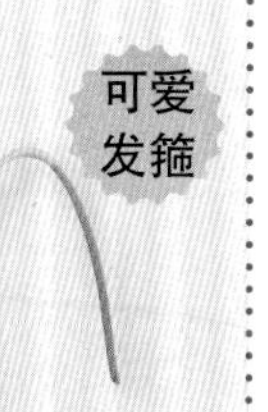

黑色发夹

可爱发箍

WIND・设计师
by Zoom

✕ 太过卷曲的卷发，会更强调圆形脸。

✕ 两边头发短过两颊。

○ 尽量保持两鬓的宽度，才不会使脸形看来更圆。

○ 用吹风机和圆齿梳将头顶吹高，将头发侧分可以增加高度。

中长发VS圆形脸

＊俏丽公主风＊

搭配建议

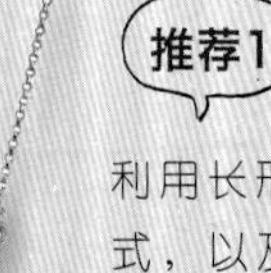

推荐1

利用长形的项链款式，以及可爱的坠子设计，能修饰圆形脸。

项链/OVVIO

推荐2

利用大V领以及粉嫩色，让圆形脸显得更可爱。

条纹针织外套/Scottish house

推荐3

利用能露出锁骨的大V领可以让你看起来比较瘦长。

衣/GIORDANO

Step by step！跟我这样做！

耳前留些头发

将两侧的头发抓到耳朵前。

Step2 将后发微乱抓起

然后将后面头顶的头发，随意往上抓，使用可爱发饰固定。

Step3 发尾刮松

接着再将发尾使用梳子，由上往下稍微刮松。

Step4 固定侧发

最后随意抓起一撮侧发，稍微往上推然后使用黑发夹夹住。

必备工具

黑色发夹

可爱发饰

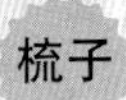

梳子

Style 13

中长发VS倒三角脸

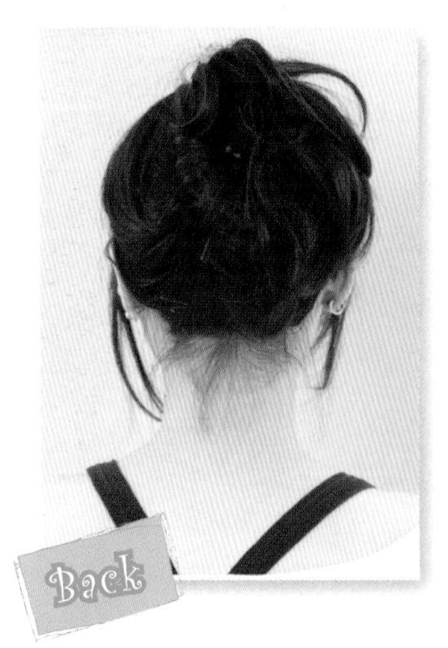

✱ 亮丽PARTY QUEEN ✱

搭配建议

推荐1

利用带点学院风的上衣修饰三角脸。假两件式上衣/Scottish house

推荐2

可爱的爱心耳环，让脸看起来更可爱。耳环/YUME

Step by step! 跟我这样做!

松松马尾

将耳朵两侧的头发抓到耳朵前，然后将后面的头发往上梳成马尾，以黑色发圈固定。

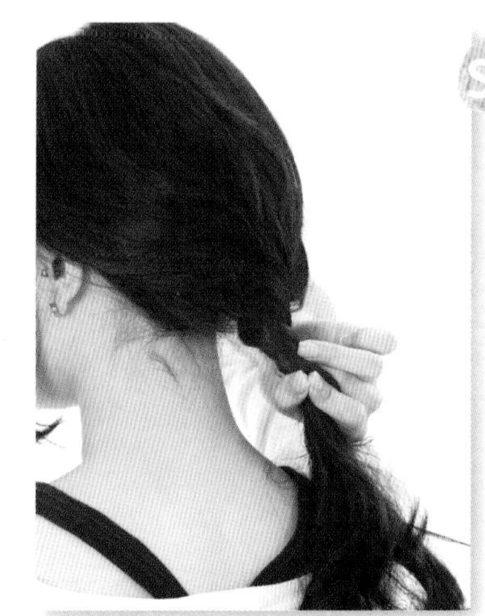

旋转马尾

接着将马尾以顺时针方向旋转，头发最尾端不需要旋转。

将马尾往上转

然后将这撮头发往上盘。

以黑发夹固定

最后再使用黑发夹固定。

黑色发夹

黑色发圈

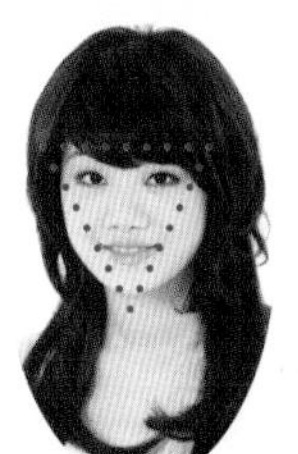

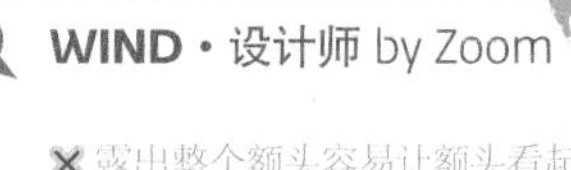

✕ 露出整个额头容易让额头看起来更宽阔。

✕ 让发尾自然垂直贴着脸颊，这样会让脸看起来比例更倒三角。

○ 刘海尽量剪短些，做出参差不齐的效果。

○ 让头发自然下垂内卷。

Style 14

中长发VS倒三角脸

Side

优雅小贵妇

Back

搭 配 建 议

推荐1

利用可爱的荷叶领修饰你太有棱有角的脸形。
衣/Scottish house

推荐2

可爱圆形的小熊耳环可以分散对脸形的注意力。耳环/YUME

Step by step! 跟我这样做!

固定头顶头发

将头顶的头发先用发夹固定，然后将后面的头发往一侧抓。

编辫子

然后随便抓起一撮头发开始编辫子。

拉松辫子

接着将这撮辫子拉松。

刮松前发

最后将刚刚夹住的上层头发，由上往下使用梳子刮松，再放下来变成蓬松自然的侧刘海，最后可用双手蘸取发蜡，涂抹在发尾处创造出卷翘感。

发蜡

能随时重新塑型，亦能提供发型适度的支撑与固定。

丝丝入扣纤维胶40ml /绮色佳

黑色发夹

发蜡

塑造完美的弹力波浪，并让卷度维持一整天的卷翘。

完美波浪卷发蜡60g/玛宣妮

梳子

Style 15 中长发VS方形脸

✷性感小野猫✷

搭配建议

推荐1

利用带有甜蜜感的爱心项链修饰方形脸。
爱心锁项链／YUME

推荐2

大圆领让方形脸变得比较柔和。上衣／rough

用吹风机吹松

将头发倒过来，使用吹风机将发根吹蓬。

随意中分

接着使用双手随意将前额头发中分，分线不要太过明显。

发尾大波浪卷度

接着使用电棒卷将发尾制造出大波浪卷度。

戴上发箍

最后在从前发中间插入可爱发箍，最后可在发尾处使用发蜡定型。

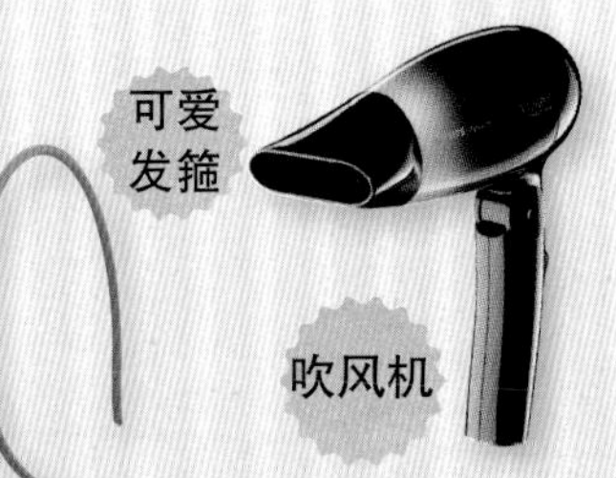

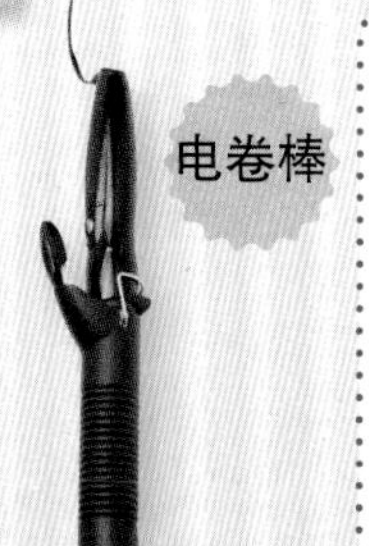

修饰原则 WIND·设计师 by Zoom

× 平直或太过整齐中分的发型，会使脸显得更方。

× 头发过短，没有超过腮帮。

○ 顶部头发蓬松，使脸变得稍长。

○ 用不平衡法来缓解，将头发尽量往一侧梳，造就不平衡感，可缓解四方脸的缺陷。

Style 16

中长发VS方形脸

✷开朗大女孩✷

搭配建议

推荐1

利用大V领的露出脖子的效果，修饰方形脸。

衣/GIORDANO

推荐2

可爱的圆领格纹毛衣，让你看起来变得更可爱温柔。

衣/Scottish house

Step by step! 跟我这样做!

Step1

绑高马尾

将头发抓成一撮高高的马尾，使用黑色发圈固定，下面的头发可以随意留一些。

Step2

抓松头顶发

接着将头顶的前发，稍微抓松。

Step3

用发蜡固定

使用指腹蘸取发蜡，然后稍微将刘海梳顺，顺便定型。

Step4

整理后发

最后将最后面留的头发抓到胸前。

发蜡

恰到好处的造型力，能做出自然发流与光泽感。

自然发流光发蜡/Liese

发蜡

不仅可使用于发尾的固定，更可以取微量涂抹于刘海中段，增加刘海的亮泽度。

晶莹顺型水漾发蜡55g /沙宣

黑色发圈

发蜡

同时塑造轻盈的自然柔顺感及立体的层次发束。

轻盈动感双魔力发蜡/玛宣妮

Style 17

中长发VS椭圆形脸

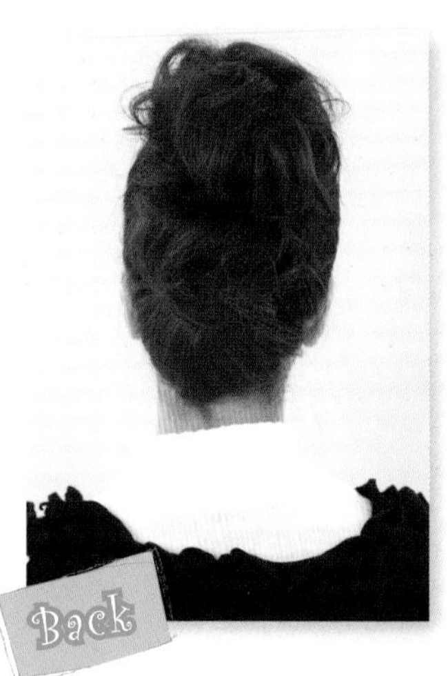

搭配建议

利用双排扣外套，展露出公主般的甜美度。

衣/Scottish house

推荐2

饰品可以选择比较可爱的皇冠耳环让你更加甜美。

耳环/YUME

Step by step! 跟我这样做!

Step1

以1:1的比例分上下两撮

先将头发以1:1的比例，分成上下两撮，然后使用黑色发圈将头发分别固定。

Step2

上层头发松松转圈

先将上层头发松松地以顺时针方向转个圈，然后使用发夹固定。

Step3

下层头发松松转圈

接着再将下层头发松松地以顺时针方向转个圈，然后将发尾以发夹固定。

Step4

戴上发箍

最后再戴上可爱的发箍即可。

必备工具

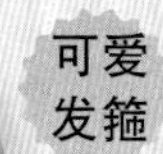

可爱发箍

黑色发夹

黑色发圈

修饰原则 WIND·设计师 by Zoom

✕ 如果颧骨比较凹，就不要尝试太过直顺的发型。

○ 完美的脸形任何发型都可以尝试。

Style 18

中长发VS椭圆形脸

搭配建议

推荐1

粉嫩的鹅黄色将你的肤色衬托得更红润。

衣/Scottish house

推荐2

看似复杂的耳环，搭配干净的发型也很适合！

耳环/YUME

Step1

制造大卷度

使用电卷棒将整头头发弄卷。

Step2

绑斜马尾

然后使用手指将头发抓到斜侧，使用黑色发圈固定。

Step3

挑松前发

接着再使用梳子尾端，将前发挑松。

Step4

用发蜡定型

接着使用发蜡，以搓揉的方式，稍微固定卷度。

电卷棒

黑色发夹

黑色发圈

发蜡

创造出持久定型的效果。

超塑型超持久发蜡/沙宣

Style 19

中长发VS长形脸

✷ 闪亮DANCE QUEEN ✷

搭 配 建 议

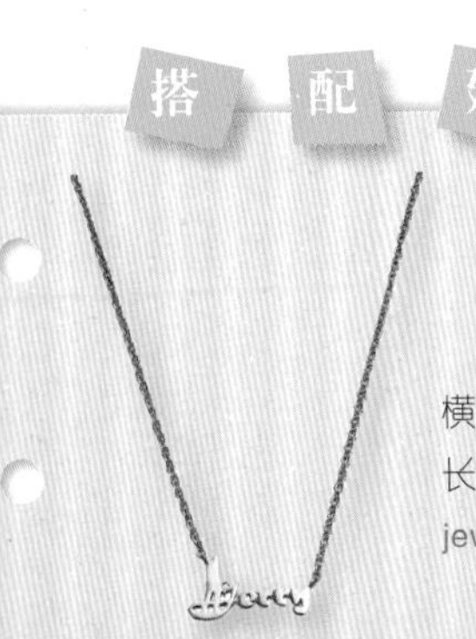

推荐1

横向的字母项链也比较适合长形脸哦！J For You 项链/Mia jewelry

推荐2

利用可爱的毛线帽，将帽缘拉低也有修饰长形脸的效果。

毛线帽／Zoom In

Step by step! 跟我这样做!

Step1

以1:1:2分成三份

将头发以1:1:2区分成三等份。

Step2

用发蜡创造出蓬松感

使用双手沾取发蜡，将前发稍微顺一下，制造出蓬松感。

Step3

发尾以发夹固定

接着将最下层的头发，以顺时针的方向旋转，然后在耳后处，发尾以发夹固定。

Step4

第二层头发以发夹固定

最后再将第二上层的头发，以顺时针的方向旋转，然后在耳朵处，以发夹固定。

必备工具

发蜡

能确实地立体塑型，彻底固定完成的造型，持久不扁塌。

塑型持久发蜡 / Liese

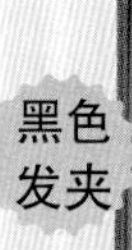

黑色发夹

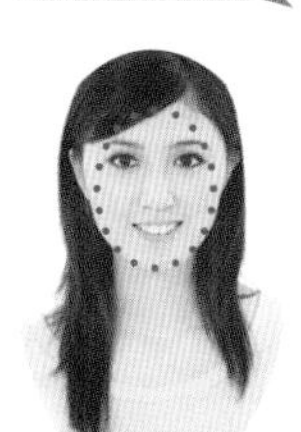

发蜡

创造出发尾卷翘感。

魔力俏翘发蜡 / 沙宣

修饰原则

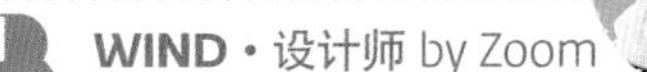

WIND · 设计师 by Zoom

✕ 与下巴形成水平的零层次的直长发。

✕ 在头顶增加高度的发型。

○ 可以在前额处留刘海，前额的刘海可以缩短脸的长度，两边修剪少许短发，盖住腮帮，脸就不显得长了

○ 多点层次感就能表现出更亲切的感觉。

Style 20

中长发VS长形脸

Side

✻ 梦幻仙女风 ✻

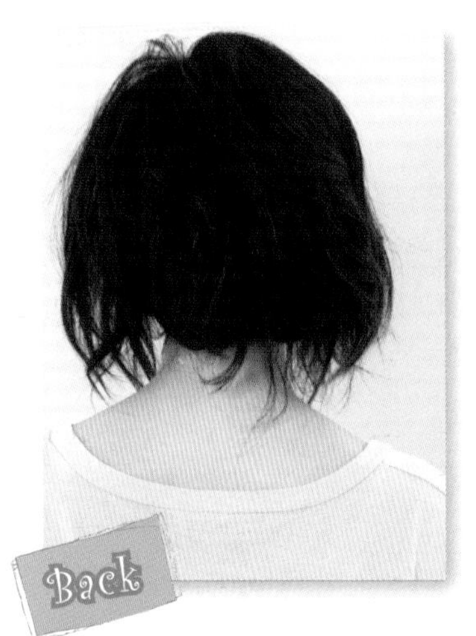
Back

搭配建议

推荐1

利用平口的领形，让长形脸比较不明显。

衣 / Scottish house

推荐2

利用甜美的七彩荧光爱心项链转移对脸形的注意力。

项链 / Pet shop Girl

Step1

绑辫子

随意将头发分成上下两层，然后将下面那层头发松松地编辫子。

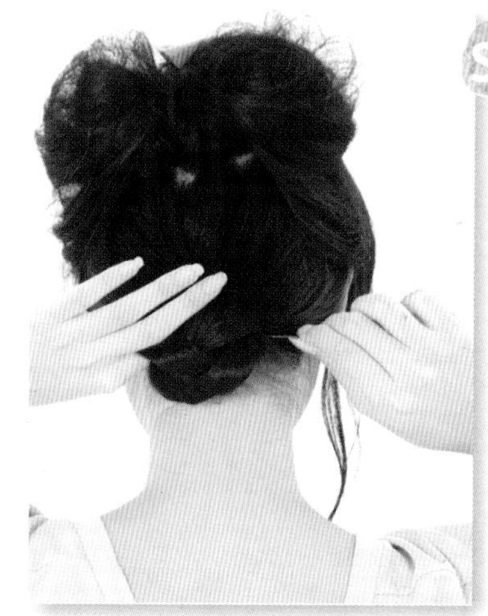

Step2

以黑发夹固定发尾

接着把辫子发尾往内凹，然后使用黑发夹夹住。

Step3

绑上缎带

将上层头发放下来，然后选择缎带，松松地在头上绕两圈，然后使用黑发夹夹住。

Step4

可爱发夹

最后再选择可爱的发饰随意夹在一侧。

必备工具

发饰

发饰

黑色发夹

Style 21

短发VS圆形脸

✱个性酷味风✱

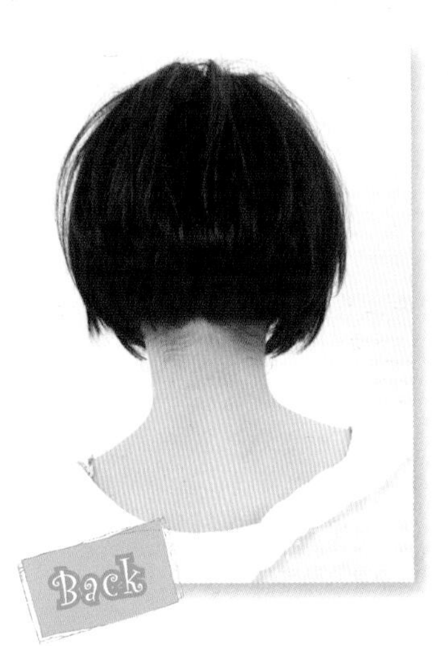

搭配建议

推荐1

利用方形以及垂坠款拉长脸部比例。

项链/OVVIO

推荐2

露出的锁骨越明显，就越能让圆形脸不明显。

衣/SIMPLE

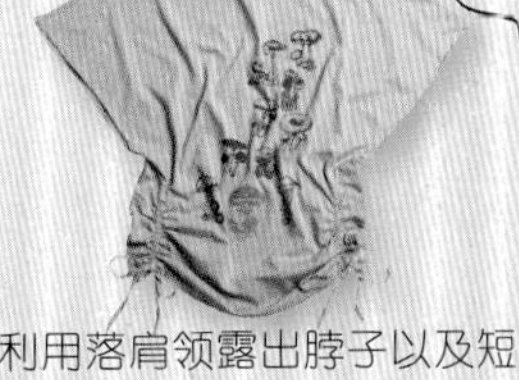

推荐3

利用落肩领露出脖子以及短发，让圆形脸也有拉长比例的效果。

衣/Can Two

Step by step! 跟我这样做!

Step1 拨松发根
将指腹伸入发根内，以上下搓揉的方式将发根拨松。

Step2 用定型液定型
接着喷上定型液定型。

Step3 刘海往侧梳
接着将刘海往侧边梳顺。

Step4 发尾抓翘
最后再把发尾处稍微抓翘即可。

必 备 工 具

定型液

创造出自然不做作的定型效果。

造型定型雾/玛宣妮

定型液

让发型定型得很自然。

定型液/诗芬

修饰原则 WIND・设计师 by Zoom

✗ 避免眉上的整齐刘海，同时也会因为强调了横向的线条，使脸形更短。

✗ 避免过度卷曲的发型，会更强调圆型。

○ 最好选择头顶较高的发型，留一侧刘海。

○ 不对称或是对称式的侧刘海，或者留一些头发在前侧吹成半遮半掩脸腮，头顶头发吹得高一些。

Style 22

短发VS圆形脸

✱ 时尚艺术味 ✱

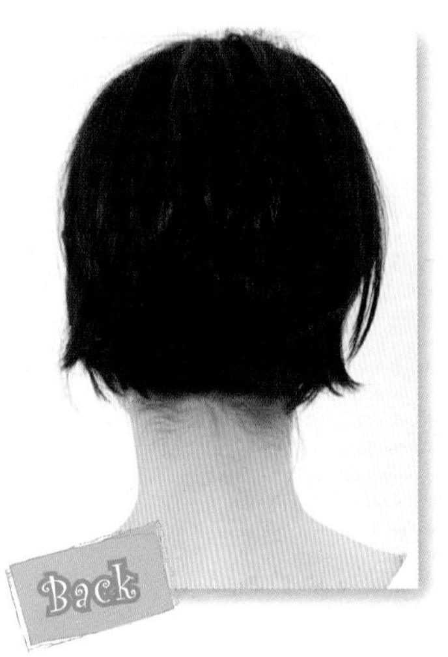

搭 配 建 议

推荐1

大V领上衣露出锁骨让你看起来比较性感。

上衣/P's Company

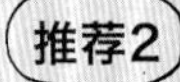

推荐2

带点个性的长珠珠项链搭配白T恤最适合。

长项链/AGATHA

推荐3

长项链可以拉长脸部线条。

项链/Glitter

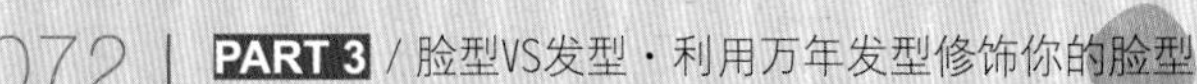

Step by step! 跟我这样做！

Step1

以 1:3将头发分成上下两层

以1:3将头发分成上下两层，然后将上层头发夹住，接着左右两侧头发分别编辫子。

Step2

用发夹固定发尾

然后将辫子以黑发夹固定。

Step3

用上层头发遮住辫子

接着将刚刚夹住的上层头发放下，遮盖住辫子处。

Step4

用发蜡定型

最后再用指腹蘸取发蜡，然后将前发往一侧梳。

必备工具

发蜡

能帮助发尾塑型。

塑重点个性发蜡/诗芬

黑色发夹

发蜡

质地清爽不黏腻，却能让发丝如铁丝般自由弯由及固定。

超弹力随心所欲发蜡/UNO

夹子

Style 23

短发VS倒三角脸

蓬松自然风

搭配建议

推荐1

可爱的帽T恤让你看起来更甜美。

上衣/TOMMY

推荐2

可爱的小动物让你看起来比较柔和。

项链/Coobee Land

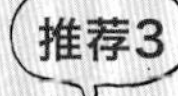

推荐3

圆圆的橄榄造型将脸形修饰得比较圆润。

项链/Angel baby

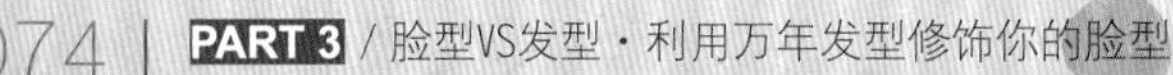

Step by step！跟我这样做！

Step1 制造出卷度

使用电卷棒将整头弄卷。

Step2 刘海自然弯度

使用梳子将前额刘海卷出自然弯度。

Step3 发根拨松

接着使用指腹伸入发根，将头发拨松。

Step4 用定型液定型

最后喷上定型液定型即可。

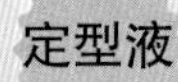

不但具有定型效果而且味道香香的哦！直发造型喷雾/SEXY GIRL

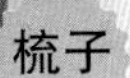

电卷棒

修饰原则 WIND·设计师 by Zoom

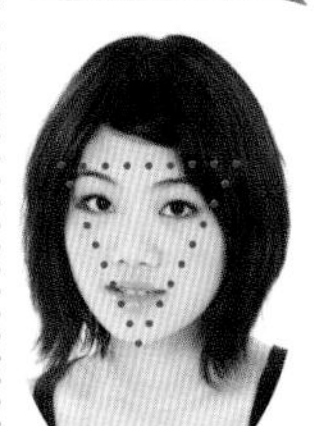

✕ 避免短发中层次的发型。

✕ 中分发型。

○ 在下巴以下的发长烫成卷曲或微卷。

○ 发尾蓬松柔软的大波浪可以达到增宽下巴的视觉效果，更添几分魅力。

Style 24

短发VS倒三角脸

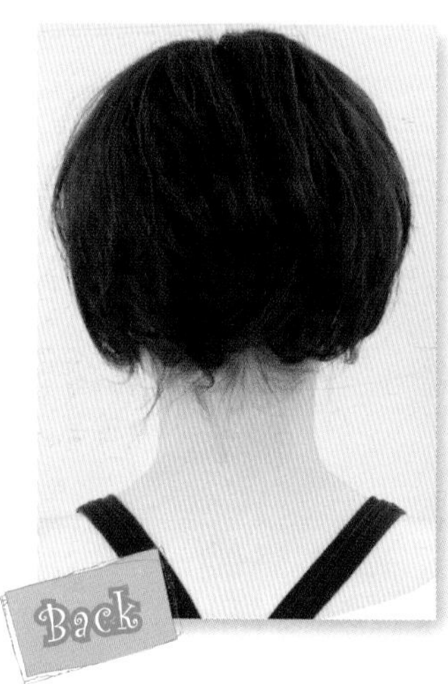

✷ 恬静女孩风 ✷

Side

Back

搭配建议

推荐1

性感的平口小洋装能让你看起来性感甜美。

小洋装/WAX

推荐2

圆圆感觉的耳环能修饰倒三角脸。

耳环/Pet shop Girl

Step by step! 跟我这样做!

Step1 下层头发往上卷

先将头发分成上下两层，先将上层夹起，然后将下层的头发以顺时针旋转，然后将发尾往上卷，以黑发夹夹住。

Step2 将上层头发放下

接着将上层头发放下。

Step3 用定型液定型

接着喷上定型液固定。

Step4 夹上可爱发夹

最后在侧边夹上可爱发夹即可。

必备工具

定型液

可以帮你塑造发型或局部弹性定型，但不黏不硬。

持久弹性定型喷雾/沙宣

黑色发夹

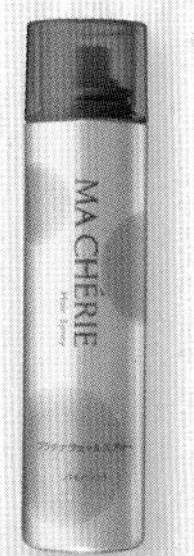

定型液

喷上后头发有珠光光泽哦!

闪亮定型喷雾/MA CHERIE

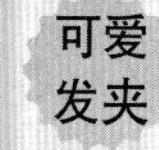

可爱发夹

Style 25

短发VS方形脸

✱阳光活力派✱

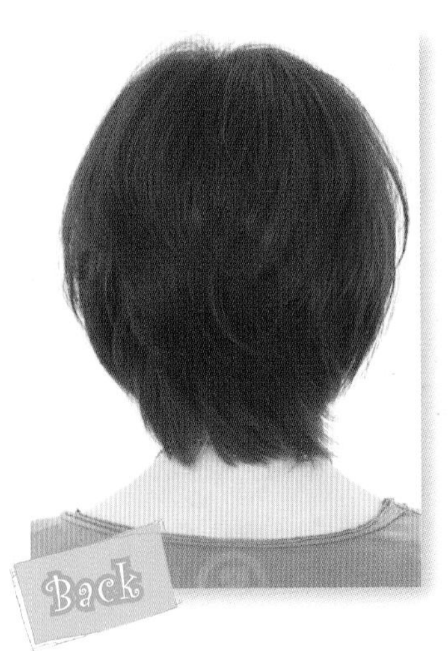

搭配建议

推荐1

圆领T恤可以修饰方形脸。

T恤/rough

推荐2

一字领可以修饰肩膀线条，露出肩膀让脸形看起来比较完美。

T恤/Wax

Step by step! 跟我这样做!

将前发吹松

使用吹风机将前额刘海吹蓬，制造出蓬松感。

将发根吹蓬

再使用吹风机将发根头发吹蓬。

由上往下刮松

然后将头顶的头发，使用梳子由上往下刮蓬。

发尾抓翘

最后以指腹蘸取发蜡，以搓揉的方式在发尾制造出蓬松卷翘感。

有润泽效果让发质看起来好好。

Fun肆/LAKME

修饰原则 WIND・设计师 by Zoom

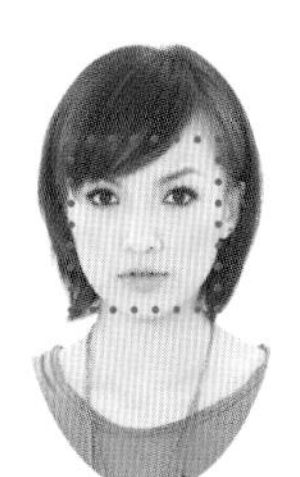

✕ 长度刚好到下巴的发型会使脸形更宽。

✕ 避免覆满整个额头的一片式刘海，或几何直线剪法的刘海，因为这些都会更强调方型。

○ 最好选择将头顶头发拉起的发型。梳理这种发型最好不要用梳子，才能创造蓬松感。

Style 26

短发VS方形脸

✷可爱朋克风✷

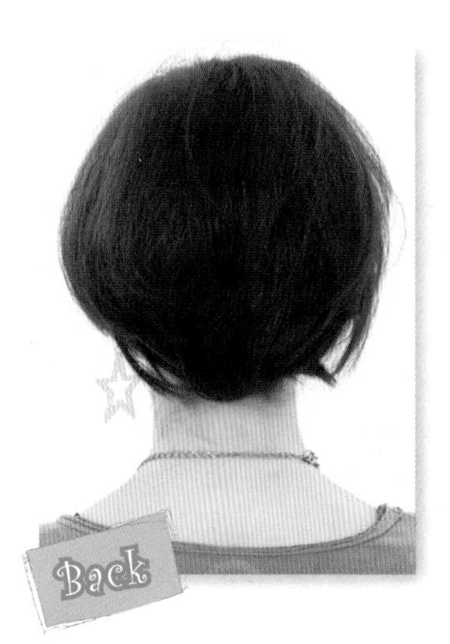

推荐1

亮晶晶小熊会增加可爱度。

项链/CAROLEE

推荐2

粉嫩的颜色以及大圆领可以修饰方形脸。

上衣/Levis

露出锁骨让你看起来比较修长。

上衣/小美日系

Step by step! 跟我这样做!

Step1

夹住前发

头顶的头发暂时以发夹夹住。

Step2

低低马尾

将剩下的头发随意抓起，使用黑发圈绑个低低的马尾。

Step3

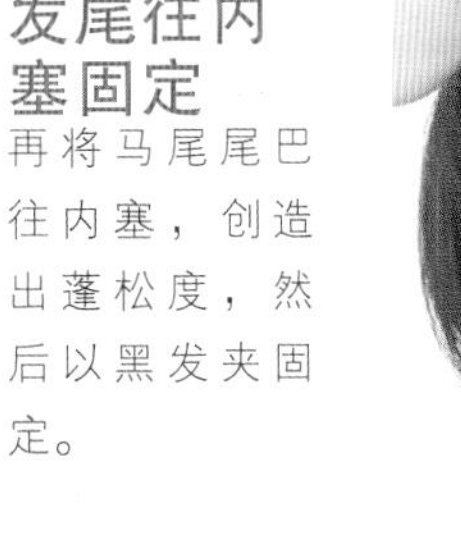

发尾往内塞固定

再将马尾尾巴往内塞，创造出蓬松度，然后以黑发夹固定。

Step4

放下上发

最后将刚刚夹住的上层头发放下来，梳顺即可。

发蜡

发塑力高却轻盈的弹力纤维。

轻盈律动发蜡/Liese

夹子

黑色发夹

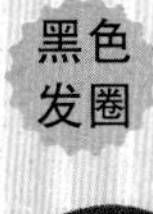

Style 27

短发VS椭圆形脸

搭配建议

推荐1

POLO领型很适合完美的椭圆脸。

POLO衫/Doch

推荐2

带点流行性的项链也很适合搭配。

项链/Shelter Q

推荐3

简单的银饰品也可以增加优雅度。

一叶情项链/Fiona

Step by step！跟我这样做！

Step1 将发根拨松

将指腹伸入发根，将头发拨松。

Step2 用发蜡定型

接着利用指腹蘸取发蜡，将刘海拨松。

Step3 顺发根

接着顺一下后发发尾处。

Step4 绑上发带

最后喷上定型液定型。可以再绑上可爱的发带！

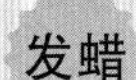

以发蜡为基础，并带有部分发胶特性，可简单创造短发造型。

火辣蜡/绮色佳

定型液

纯植物性配方的定型液，不伤发丝。有条不紊定型雾/ORIGINS

发带

修饰原则

WIND・设计师 by Zoom

✕ 尽量不要在齐耳的长度，比较容易破坏脸部的完美比例。

○ 完美脸形任何发型都很适合。

Style 28 短发VS椭圆形脸

纯真洋娃娃

Side

Back

不对称的饰品让你俏皮度大增。

耳环/Coobee Land

推荐2

可爱的公主袖可以增加气质感。

洋装/Jessica

推荐3

甜美的饰品可以让你看起来更有女孩味。

耳环/Coobee Land

Step by step! 跟我这样做！

Step1

绑头顶头发

在头顶处随意抓出一撮头发，然后使用可爱发饰绑起。

Step2

由上往下刮松

使用梳子，将这撮头发由上往下刮松。

将发根拨松

将指腹伸入发根处，稍微拨松。

Step4

顺刘海

最后再将刘海拨到两侧即可。

必 备 工 具

可爱发圈

发蜡

能塑造出自然不做作的发尾卷翘效果。

冰塑发泥/沙宣

发蜡

具滋养保湿功能，塑型效果强并且可以不断重复造型。

HG混凝土/绮色佳

Style 29

短发VS长形脸

✱ 雪国俏佳人 ✱

搭配建议

推荐1

利用柔和的荷叶边修饰长形脸。

雪纺纱上衣/Non-Stop

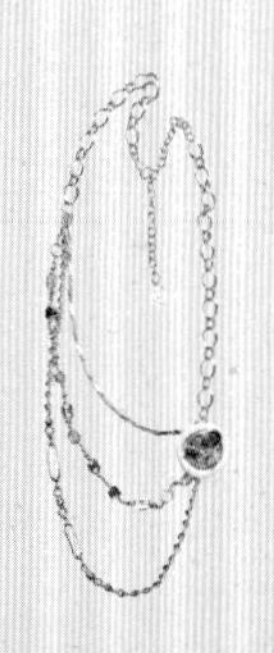

推荐2

让亮晶晶的饰品转移对你脸形的注意力。

长项链/Ora

推荐3

甜美的可爱饰品也有助提升你的甜美度哦！

耳环/Anna Sui

Step by step! 跟我这样做!

戴毛帽
将毛帽戴在头上，注意戴这种毛线帽要把帽子压低，遮住部分的刘海才对！

发尾由下往上刮松
使用梳子将发尾由下往上刮松。

用定型液定型
接着在发根处喷上定型液。

将发尾抓翘
最后再用指头搓揉发帮助创造出微翘感。

必 备 工 具

梳子

可爱毛帽

定型液

喷上后头发会有闪闪的光泽感。

闪亮定型喷雾/MA CHIRE

WIND · 设计师 by Zoom

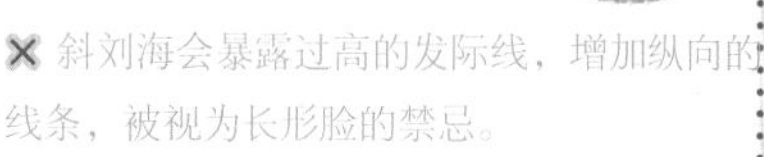

✕ 斜刘海会暴露过高的发际线，增加纵向的线条，被视为长形脸的禁忌。

✕ 没有刘海也无法修饰长形脸。

○ 适合长度能盖住眉毛的厚 、宽刘海。

○ 将发尾卷曲以增加发量的BOB式发型，以平衡长型脸。

Style 30

短发VS长形脸

✱时髦街头味✱

Side

Back

搭配建议

推荐1

利用大圆领修饰让脸形看起来比较柔和。

圆领T恤/SCOLAR

推荐2

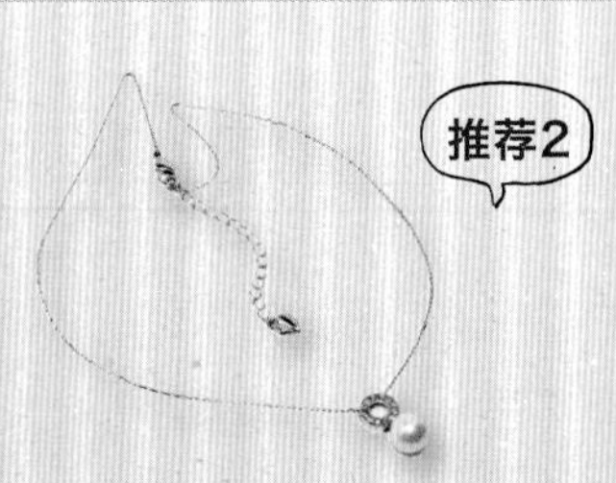

利用圆形的饰品来修饰。

珍珠项链/CAROLEE

推荐3

可爱的蝴蝶结耳环让你看起来更甜美。

耳环/Glitter

Step by step! 跟我这样做!

Step1 将侧刘海固定

将头发梳到一侧，在耳朵后绑好，使用黑发圈固定。

Step2 可爱发箍

最后选择可爱的发箍戴上即可。

Step3 由下往上刮松

接着使用梳子，将这撮头发由下往上刮松。

Step4 用定型液定型

然后在发尾处喷上定型液定型。

必备工具

定型液

可让蓬松发型更持久。

沙龙级 隔绝凌乱定型喷雾/mod's hair

定型液

有香甜的水果味的定型液。

卷发造型喷雾/SEXY GIRL

可爱发饰

活用11种关键小物

人气日系发型

5分钟就搞定

想要拥有杂志麻豆的美美发型吗？只要学会利用各种发饰、小物，就可以做出你心目中的完美编发哦。现在就由mod's hair专业设计师们，带领大家学会奇妙的变发魔术吧！

本单元的造型顾问

mod’s hair
技术指导
资历: 8年以上

mod's hair天母店

喜欢求新求变，为顾客提供既时尚又时髦的发型，强调“流行不见得适合每一个人”，并针对不同的顾客给予不同的意见及造型。

发型达人
资历：7年

mod's hair信义店

善于为个人打造出专属的风格，并且擅长以利落线条来突显女性的自然随性，能够在很短的时间内为顾客快速变发，为mod’s hair动作数一数二迅速的设计师。

发型达人
资历：6年

mod's hair天母店

参与过许多知名杂志单元的拍摄，针对东西方人的发质与发性剪裁出时尚又适宜的发型。并擅长针对不同的顾客打造不同造型。

发型达人
资历：6年

mod's hair大安店

擅长打造日系自然蓬松Look，对于发型喜欢求新求变。会针对时下流行趋势，为顾客打造出时尚又时髦的发型。

小物 01

优雅感花朵

Use Item

具有优雅的宝蓝色是社会新鲜人首选！

蓝色花朵发夹／黛德美

Point!

这个发型要层次高的人比较适合，如果层次不高，可不用分上下层，直接全部扭转侧编发束即可。

Step by step！跟我这样做！

1

将下方发束扭转

先将头发分为上下两区，上层的头发先用鹤嘴夹夹起，下方的发束向右、并向上顺时针扭转到最右边，用黑色发夹夹起固定。

2

上层倒刮

接着在放下上层头发时先将头发倒刮一下，呈现蓬松的圆形头，倒刮完毕后直接盖下遮住步骤1的发束。

3

倒刮发束

绑起的侧边马尾，可以先用电卷棒卷一下，再直接用尖尾梳刮出蓬松的不规则感。

4

夹起发饰

最后直接夹上大大的花朵发饰，出色的气质造型就完成！

小物 02

利落感香蕉夹

展现利落女人味的氛围

Use Item

鲜艳的蓝色加上一点小水钻，提升女人味！

蓝色香蕉夹／黛德美

推荐发品

mod`s hair沙龙级 Power 3 空气态发蜡

mod's hair

Win老师 **贴心小提醒**

使用香蕉夹时，可以绑侧边马尾，这样看起来较有年轻朝气，而且一定要直夹，自然垂落的发束，不但会有层次感，也会显得很轻盈，如果头发够长还可以留下两侧下方的发束，更增添了女人味。

Step by step! 跟我这样做!

1

夹香蕉夹

从耳际开始抓取头发，预留两小束于肩上，直接将头发抓高，并拉到侧边直接用香蕉夹，直夹起固定。

2

卷起肩上的发束

将垂落肩上的发束，用大支的电卷棒，在发尾处卷起大大的弧度就可以。

3

卷马尾

绑起的马尾，也要分成小束，卷出层次不一的弧度，创造马尾飘飘的感觉。

4

倒刮马尾

最后用尖尾梳倒刮香蕉夹夹起的马尾，营造蓬松卷度的美感。

人气香蕉夹有这些!

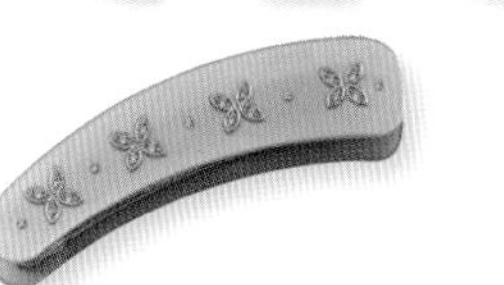

粉红色小蝴蝶结，戴起来甜美感满分!

粉红香蕉夹 / MUMU

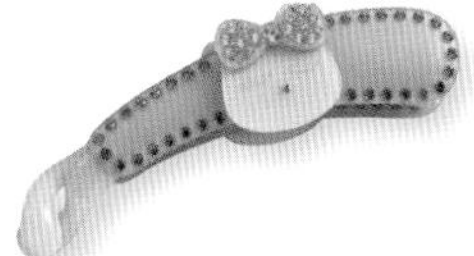

小猫图案香蕉夹，青春洋溢感十足。

黄色香蕉夹 / 黛德美

沉稳的紫红色，侧边镶满水钻，很有气质。

紫红色香蕉夹 / MUMU

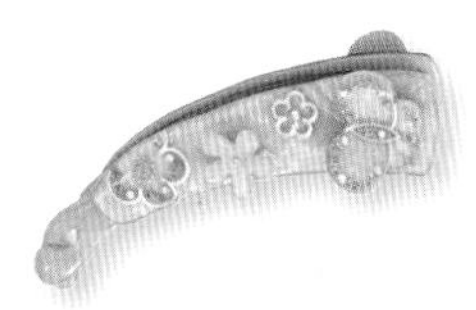

充满春天气息的粉嫩香蕉夹，营造可爱感的必备款!

粉红香蕉夹 / 黛德美

小物 03

唯美鲨鱼夹

走名媛路线

Use Item

典雅的白色蔷薇，气质大大提升唷！

蔷薇鲨鱼夹／ㄆㄧㄚ‘妹的饰品

紫色的鲨鱼夹，刚好与白色呈现柔和对比。

紫色鲨鱼夹／MUMU

推荐发品

SO PURE水晶灵

Step by step！跟我这样做！

先夹左边

首先预留头顶上方的U型区，下方头发先抓取左侧发束，往内扭转到中央，用黑色发夹夹住固定。

再夹右边

接着抓取右边的发束，同样扭转到中央，重叠到步骤一的发束上方，用黑色夹子夹住固定。

夹上鲨鱼夹

两股发束合并确定不会松落后，直接用小鲨鱼夹夹住固定。

上方头发倒刮

将上方预留的发束用尖尾梳倒刮一下，营造蓬松感。

夹大鲨鱼夹

将头顶倒刮好的头发用手指抓顺，扭转一次并往上轻推出现蓬松的弧形后，直接夹起大的鲨鱼夹夹上既可。

mod's hair

Natasha | 设计师 **贴心小提醒**

使用鲨鱼夹时，要记得发丝要拉得松松的，夹住后务必要往上轻推一下，营造出发型的弧度，这样看起来就会活泼许多，不会老气哦！

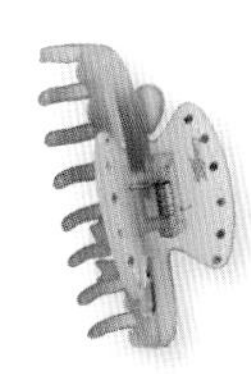

粉嫩的绿色，尤其发色很深的人特别适用！绿色鲨鱼夹／MUMU

从上面看就是一朵小花的鲨鱼夹，是不是很甜美呢！蓝色鲨鱼夹／MUMU

充满小水钻的蝴蝶鲨鱼夹，最能展现优雅感。蝴蝶鲨鱼夹／黛德美

小物
04

成熟感发簪

Before

Side

Back

兼具成熟与可爱的人气发

Use Item

小蓝色皇冠发簪，
可爱又有质感。
蓝色发簪 / 黛德美

推荐发品

史蒂芬诺尔造型
摩丝

mod's hair
Win | 老师 **贴心小提醒**

❶ 利用大家都熟悉的三股辫辫子编发，创造出甜美的发束，辫子记得不要绑得太紧，有一些自然掉落的发丝看起来最为自然。

❷ 使用发簪时，不可将发束扭转得太紧，这样看起来会像阿婆。松松地插入发束，并拉出一些掉落的发丝才有年轻感。

Step by step! 跟我这样做!

1 绑辫子

从右边开始进行三股辫，记得不要绑得太紧，手的力道维持轻松的感觉就可，一口气绑到最左边。

2 用橡皮筋固定

绑到左边的三股辫，直接先用黑色橡皮筋绑起固定。

3 绕成螺旋状

把三股辫垂下的发束，往上顺时针扭转形成一个螺旋包头，位置在耳朵上方，如图所示。

4 插入发簪

先用黑色发夹将螺旋包头夹起固定后，将发簪直接从侧边插入，牢牢固定即可。

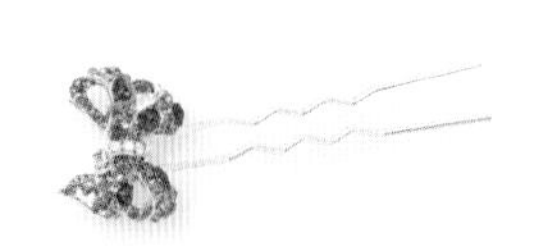

粉红小发簪，随意用于公主头就很甜美!

粉红发簪 / 黛德美

古典的发簪，展现文静气质造型时就用它!

咖啡色发簪 / MUMU

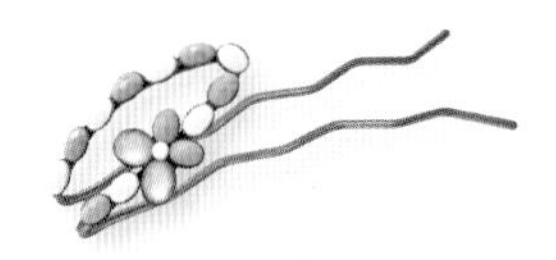

蓝色小宝石一看就具有小贵妇气息呢!

蓝色发簪 / 黛德美

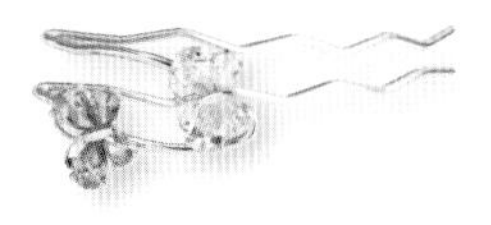

真的小水钻，用上后发型看起来也bling bling。

水钻发簪 / MUMU

小物 05

甜美感发箍

清新的小女人风韵

Use Item

有甜美清新气质的珍珠发箍，怎么用都好看！珍珠发箍／ㄆ一ㄚ'妹的饰品

推荐发品

mod`s hair沙龙级·加强卷度摩丝

mod's hair

Rachel｜设计师 **贴心小提醒**

每一种发箍可以展现不同风情，例如model示范的典雅型珍珠发箍，就简单地将头发垂落侧边展现温柔清新的小女人味道；如果换成宽版发箍，则可以将发尾倒刮出接近爆炸的大蓬松，也能呈现时尚女人的风格唷！

Step by step！跟我这样做！

绑侧边马尾

将头发接上假发片后直接用手指梳齐，拉到侧边，绑低低的、垂落前面肩上的马尾。

将发束缠绕

接着抓取马尾上的一小束头发，缠绕橡皮筋，将黑色橡皮筋藏起来。

用夹子固定

缠绕完毕后，直接用黑色发夹夹住固定即可。

轻轻倒刮

用尖尾梳轻轻在发尾处倒刮一下，呈现马尾的层次感就可以。

戴上发箍

记得发箍要由上往下直角戴入，位置约在刘海与发际线上，这样最OK！

人气发箍有这些！

典雅的黑色发箍，出席正式场合时很适合。黑色发箍／黛德美

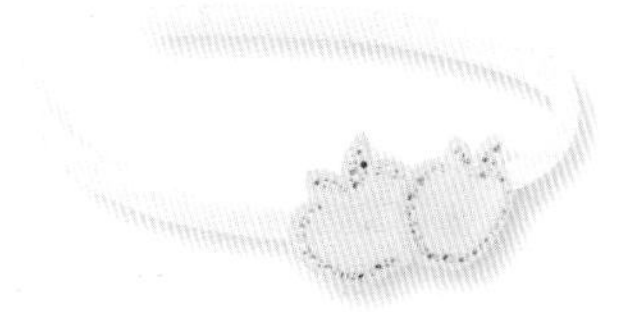

清爽的白色发箍，刚好透露出清纯的气质。白色发箍／黛德美

小物 06

自然感发夹

任谁都想亲近的好女孩造型

Use Item

推荐发品

优雅的白色蝴蝶结发夹，透露出好气质。白色发夹／MUMU

完美波浪卷发蜡／MA CHIRE

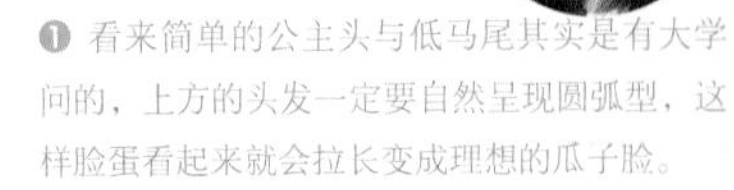

mod's hair

Natasha | 设计师 **贴心小提醒**

❶ 看来简单的公主头与低马尾其实是有大学问的，上方的头发一定要自然呈现圆弧型，这样脸蛋看起来就会拉长变成理想的瓜子脸。

❷ 发夹选择款式简单，颜色不要太过于鲜艳，就不会显得太幼稚。

Step by step！跟我这样做！

第一撮发束

先抓取正中央上方的发束，往后并顺时针扭转一圈，用黑色发夹由下往上夹住固定。

第二撮发束

接着从左边再抓取一小束头发，同样往后顺时针扭转一圈，重叠在步骤一发束上，用黑色发夹固定。

第三撮发束

最后右边抓取的发束，同样往后顺时针扭转，这时要往上轻推一下，将头发呈现的弧形更展现出来后，再用夹子固定。

绑马尾

下方头发直接用手指顺过，用黑色橡皮筋绑低低的马尾就可以。

夹上发饰

选用纯净的白色发夹，直接夹在马尾上遮住黑色橡皮筋就完成。

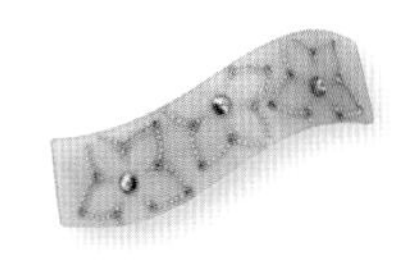

宽版的发夹，不管任何发型都很好搭！

粉紫发夹／MUMU

小圆点发夹，可以夹刘海，让发型不凌乱！

小发夹／黛德美

小花发夹充满纯真气息，随意夹于刘海就很漂亮！

小发夹／黛德美

优雅的花朵长发夹，公主头最适合！

粉红发夹／MUMU

小物 07

元气发束

活力有朝气的美人儿专用

金色蝴蝶结从去年到今年不退流行，一定要人荷！金色发束／ㄆㄧㄚ＇妹的饰品

推荐发品

闪亮定型喷雾／玛宣妮

mod's hair

Ady｜设计师 **贴心小提醒**

随性松感的发型绝对是重点，现在很流行的蝴蝶结发束，无论什么人都可以创造出甜美的氛围，要注意的是在后脑勺的发髻，可以用手指抓出发束感，让看似凌乱的头发也有蓬松线条感，是甜美关键哦！

Step by step！跟我这样做！

头发分区
先将头发分上中下三区，最下方头发分为两束，自然地让它垂落左右边的肩膀上。

中区绑发束
放下中间那层的头发，直接用发束绑侧边的马尾，但是最后一圈，只要拉出一半就可以停止。

倒刮发束
将步骤2马尾拉一半垂落的发束，用尖尾梳倒刮后，用手指轻拈出飞飞的发束感。

上方倒刮
放下最上方的发束，用尖尾梳倒刮一下，这样比较好进行接下来的扭转编发，不会让头型扁掉。

扭转发束
将上方倒刮好的发束，直接用手指顺时针扭转，并重叠到蝴蝶结发束的上方，用黑色夹子夹起固定就可。

人气发束有这些！

粉红小花，让发型看起来更甜美可爱！粉红发束／MUMU

发束也可以很优雅，蓝色的典雅蝴蝶结超适合！蓝色发束／黛德美

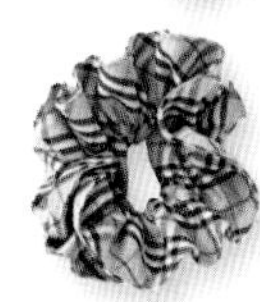

格子图案一看就具有浓浓的英伦气息。格子发束／黛德美

圆点点小发束，不管任何场合都可以用。圆点发束／黛德美

小物 08

时尚发带

梦幻淑女的丰盈发型

流行的骷髅头，是一定要入荷的发饰单品。头带／ㄆ一ㄚ'妹

推荐发品

沙龙级·润泽直发喷雾／mod`s hair

mod's hair

Ady｜设计师 **贴心小提醒**

近年来慢慢出现的发带或丝巾，今年春夏会开始大流行，各秀场上都可以看到它的踪影，选用发带时，尽量还是以颜色粉嫩为主，比较不会显得老气，近来很流行的骷髅头图案、条纹图案都是不错的选择。

Step by step！跟我这样做!

预备发束

先将头顶上方U形的发束预留，两边的发束分别往后脑勺的中央处扭转。

中压绑发束

放下中间那层头发，直接用发束将扭转的发束用黑色橡皮筋一起绑起。如果会松掉，可以再用黑色夹子固定一下。

倒刮发束

马尾拉上方预留的头发放下前，用尖尾梳倒刮一下，让头顶有蓬松感。

绑上发带

最后绑上发带，记得蝴蝶结要绑在侧边下方，露出来才有时尚流行感哦！

宽版的缎带也可以当做发带使用，很甜美！

粉嫩的丝巾拿来当发带，很有飘逸感唷！粉红丝巾／MUMU

小物 09

必胜发片

短发瞬间变长的秘密武器

柔软的黑色发片，
使用起来很方便。
发片／屈臣氏

推荐发品

空气发蜡／Liese

mod's hair

Rachel | 设计师 **贴心小提醒**

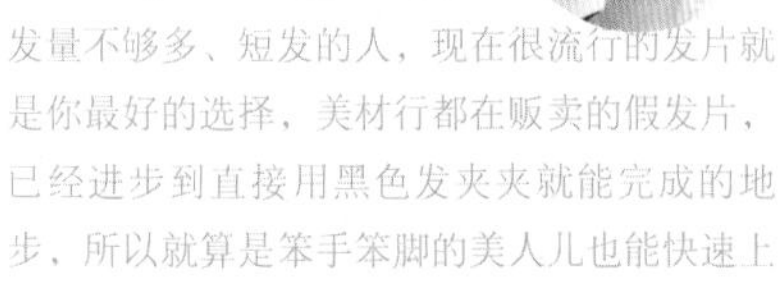

发量不够多、短发的人，现在很流行的发片就是你最好的选择，美材行都在贩卖的假发片，已经进步到直接用黑色发夹夹就能完成的地步，所以就算是笨手笨脚的美人儿也能快速上手！

Step by step！跟我这样做！

头发分区

将头发分上下两区，直接将假发片藏在中间，位置约耳朵上方的延伸线。

用发夹夹起

直接利用黑色发夹，从左边夹到右边，确定牢牢固定住就可以。

盖下头发

将上层的头发盖下，可以先倒刮一下让发量看起来变厚，发片也不明显。

4

真假发一起夹

最后用两侧的真发与假发混在一起扭转到中央，用黑色发夹夹住固定。

有卷度的发片，不需要再用电卷棒卷起。

柔软的黑色发片，使用起来很方便。

小物 10

浪漫法国梳

提升你的优雅好感度

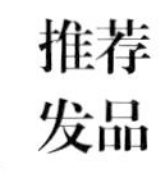

Use Item

清爽的桃红色，刚好显出年轻的甜美魅力。粉红法国梳／MUMU

推荐发品

沙龙级·水亮直发摩丝／mod`s hair

mod's hair

Ady｜设计师 **贴心小提醒**

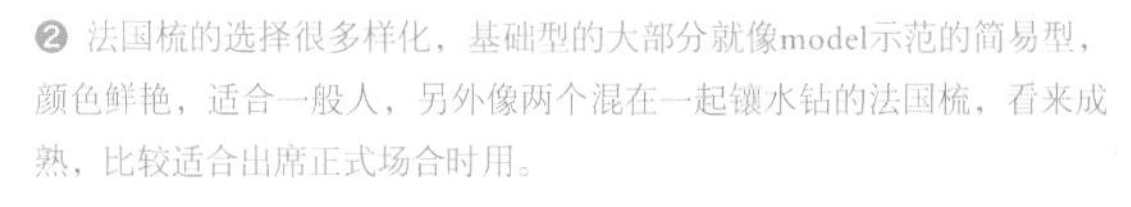

❶ 用法国梳时，在插入头发时要记得从下方反勾、拉到上方正插，最能牢牢固定发束。

❷ 法国梳的选择很多样化，基础型的大部分就像model示范的简易型，颜色鲜艳，适合一般人，另外像两个混在一起镶水钻的法国梳，看来成熟，比较适合出席正式场合时用。

Step by step！跟我这样做！

1

刮蓬头发

先将头发全部在根部处，用尖尾梳倒刮出蓬度。

2

扭转发束

头发分两束，从左边开始将两束头发交叉，不断重复分束交叉，延伸到最右边。

3

法国梳固定

如果怕会松落，可以先用黑色发夹固定，再插入法国梳。

4

卷电卷棒

将垂落的发丝，用电卷棒卷出浪漫的卷度，才有法国梳的浪漫气质。

5

喷上定型液

最后喷上定型液，固定浪漫的卷度就OK咯！

人气法国梳有这些！

蓝色的大花朵法国梳，抢眼度100分。

蓝色法国梳／黛德美

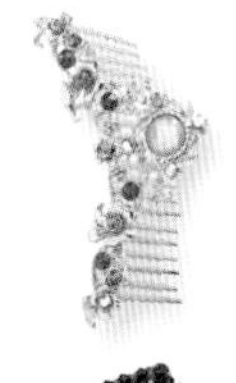

皇冠型的法国梳，用起来梦幻中又兼具甜美。

皇冠法国梳／黛德美

比较成熟型的双叉法国梳，可在特别场合用。

双叉法国梳／MUMU

小物 11

各类帽子

时髦度马上大加分

Use Item

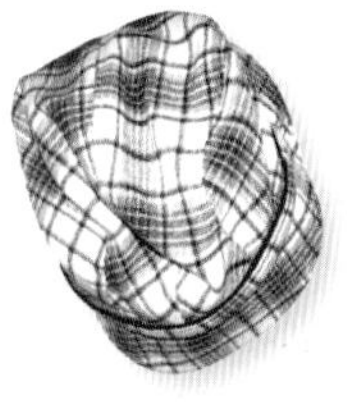

格子帽可以穿戴出年轻感，报童帽的修饰度也最佳。帽子／黛德美

推荐发品

弹簧泡泡／绮色佳

mod's hair

Win | 老师 **贴心小提醒**

❶ 报童帽与大盖帽的修饰度较好，可以将脸型修饰成瓜子脸。

❷ 戴毛帽的话记得要将发尾刮蓬，这样看起来发量才多。

❸ 戴棒球帽可以做些发尾的变化，例如，卷度、侧边包头等。

Step by step！跟我这样做！

绑辫子
在头顶的U形区，直接编三股辫，编的时候要注意不要拉得太紧，松松地绑才能呈现出蓬松感。

用夹子固定
约编到耳朵中央的延伸线，用捏住发束的手指往上推一点，用黑色夹子夹住固定。

卷电卷棒
两侧的头发用电卷棒卷出卷度，这样戴上帽子才不会觉得头发乱翘，没有型哦！

4

戴上帽子
最后直接戴上帽子，你会发现头型变成圆弧的自然形状，再也不是扁扁的帽子头咯！

人 气 帽 子 有 这 些！

可爱的毛线遮耳帽，露出的头发如果刮蓬蓬的造型最适合咯！

粉红色超抢眼的帽子，整个甜美度加分，不管侧边马尾还是绑辫子都很适合！

专业大师为你解决最烦恼的头发问题

中美娇儿设计师＋Tony老师＋美妆达人来解答！！

达人档案 新之介

中美娇儿讲师简介 | 资历10年

来自日本的专业设计师新桑，每年都会为台湾消费者带来最优质的技术。不管是无造作发型或是复古的BOB头，都是新桑的擅长之处，除此之外，为消费者提供专业的护发保养知识，让消费者能与日本同步流行。

你有什么发型的烦恼吗？头发乱翘、自然卷、刘海太短或是染发受损，让我们请教美妆界的达人们，她们针对头发有许多超级法宝与小贴士，让你的这些头发问题再也不是问题哦！

超人气发品TOP1

摩丝

卷发的救星绝对是摩丝，因为摩丝质地细致且塑型力佳，可以维持头发的卷度，而且一定要在湿发的时候用，这样不但卷度漂亮、发丝也能维持光泽，看起来发质好好，加上可以维持到隔天早上的效果，难怪会让所有造型师都会推荐。

使用摩丝时的小技巧！

Q & A小教室

Q：上电卷棒的时候，有什么打底与维持卷度的好帮手呢？

A：先均匀喷上digna NS晶亮水打底后再吹干，用完电卷棒之后再将digna AS晶莹露均匀喷在卷发上，增加空气感。

倒在手上

先将摩丝倒在手上，双手互相搓揉后就可以开始进行。

由下往上搓揉

直接用抓揉的方式，由下往上抓揉一撮撮的头发，让卷度自然呈现。

吹干头发

整头抓揉完毕后，用吹风机吹一下，让头发至八分干。

推荐的摩丝！

保持头发的清爽与自然卷度。卷浪浪／中美娇儿

digna NS晶亮水／中美娇儿

digna AS晶莹露／中美娇儿

几乎大家都用过定型液，好像从孩提时就有印象小时侯跟妈妈去洗完头发吹干后，设计师一定会前后左右喷一下，头发就整整齐齐不会变形了呢！过去的强力定型喷雾因会造成污染，也过于僵硬，有一阵子已被淘汰，但近年来的定型喷雾大多添加比较多的天然保湿因子，不但能维持头发的造型，也呈现出自然无造作的感觉。

超人气发品TOP2

定型液

使用时定型液的小技巧！

远距喷

首先远距离（约30厘米）整头均匀地喷上定型液。

喷在手上

为了让发型更服贴与自然，接着将定型液喷在手上。

搓揉双手

接着将布满定型液的手互相搓揉，让手有湿黏的触感。

抚平头发

顺着头发的曲线轻抚过一次表面，这样发丝会更亮更定型。

推荐发品

让秀发更具空气感！digna AS晶莹雾／中美娇儿

发蜡最适合短发的人，尤其是对展现较个性或是蓬松的发型，例如多层次的剪发就可以利用发蜡揉抓头发，创造飞扬感。另外近几年也流行的发冻，直发卷发都适合使用，质地较清爽，带给秀发滋润光泽，让造型效果更出色。

使用发蜡、发冻时的小技巧！

抹在手上

先将发蜡或发冻取适量在手掌心，一般来说短发一元硬币、长发两个一元硬币的分量。

搓揉双手

两手互相揉搓，直到两手均匀充分沾满发蜡或发冻。

抓揉头发

手指插入头发里层，以手掌抓揉的方式将头发抓出蓬松感。

揉捏发尾

用食指与大拇指轻揉捏发尾，创造发束的空气感。

推荐的发蜡、发冻有这些！

清爽、无负担的护发造型品。蓝冻蜜／中美娇儿

塑造发尾轻盈质感。PGS V 轻盈冻／中美娇儿

在第一线的设计师们，最常遇到客人各式各样的问题，这次就让我们一次网罗，说不定你也是其中一员唷！

达人大解惑！ SOS

最困扰的造型问题，中美娇儿设计师帮你一次解决！

Q1. 染了颜色较浅的发色后，是否用了护色系列就能维持呢？

A. 可以选择PGS C染发专用护发产品，在头发表面形成保护膜，防止毛发内的色素粒子颜色流失。

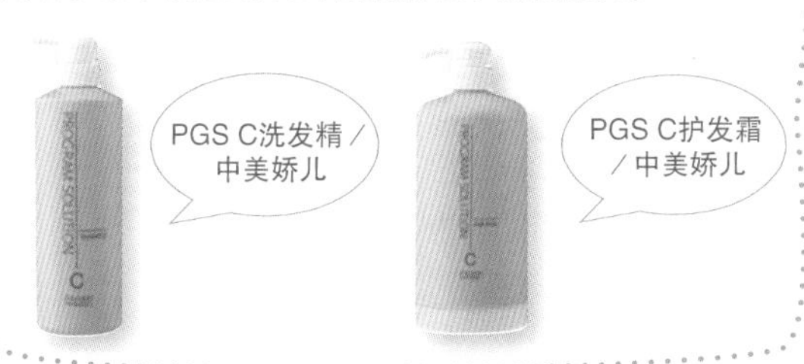

Q2. 请问刚烫完直法烫与温塑烫后的人，可以挑选怎样的发品？

A. 直发烫与温塑烫发可以使用例如PGS CS洗护来做日常的居家护理，直发可选择不用冲水的蓝冻蜜，温塑烫发可使用Digna玫瑰蒂娜系列维持卷发。

Q3. 如果头发很扁塌，是否有什么洗发精可以洗出头发的蓬松感？

A. 建议您使用愉悦丰盈Voluem shampoo可让头发更有弹性，并且搭配上同系列的Volume Conditioner使用，效果更佳。

Q4. 受损很严重的发质，可以用什么护发产品快速修护呢？

A. 建议可以向专业的美发沙龙设计师询问，设计师会依照发质的受损程度安排专业的护发疗程，平时则可以选择居家使用的护发产品做基础修护。

Q5. 想要头顶蓬松，该如何运用发蜡抓出蓬松感？

A. 一开始先用梳子逆着发流吹整头发，然后把发蜡均匀涂抹在手上后，再涂抹头发（避免涂抹于头皮会堵塞头皮的毛孔），再从发尾往上抓出发束感。

Q6. 请问烫卷的头发，可以利用什么造型品维持湿亮卷度？

A. 一开始在湿发的时候就使用保湿产品打底，再用卷浪浪摩丝涂抹吹干，如使用有烘罩则会呈现更好的卷翘效果。

Q7. 我想要抓出两边头发蓬蓬的层次感，有什么好帮手与技巧？

A. 吹头发时，抹在想吹蓬的地方用吹风机由下往上吹，再用较硬的发蜡搓发尾，最后再由下往上喷定型液。

Q8. 我有自然卷，早上起床该怎么整理，才能让头发快速变柔顺？

A. 先用喷雾式护发产品digna SS柔蜜水打底，再用梳子吹整头发，最后再擦乳状护发产品(digna MC或是PGS的S清爽蜜or R滋润蜜)效果更佳。

Tony老师采访手记

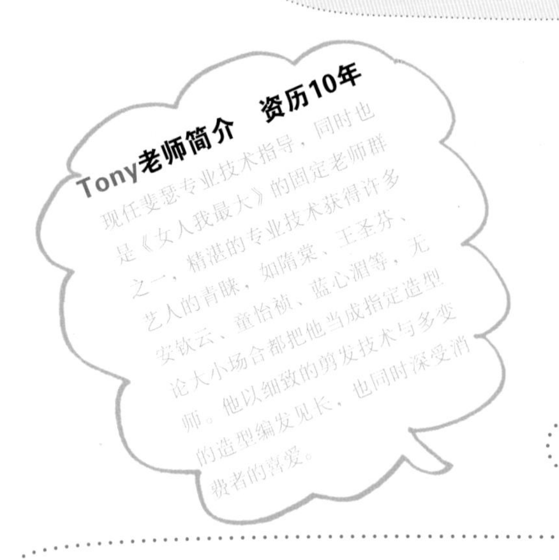

务实、简单、轻松自在

虽然现在走在街上，很多人认得出我、叫得出我的名字，但我还是不会改变自己原本的生活，不在乎别人怎么看我，我认为自己如何看待自己是最重要的。例如，我现在还是每天骑自行车上班，一方面享受这种务实自在的感觉，真的很棒！另一方面也很环保的。

无时无刻不寻求美感

我想因为从小生长环境的关系，我一直很喜欢寻求美的事物。在任何时间地点，只要发现美丽的事物，总是会吸引我的目光，让我停下脚步，端详这些作品。然后，我可以用这些吸收到的美丽，在工作上去引导别人，让其他人也跟我一起享受这份美感，甚至变得更加美丽，这是我最开心的事。

跟大家一样地保养头发

因为身份的关系，很多人问我是怎么保养头发的。说实话我跟所有消费者一样，是个懒惰虫，我不烫不染头发，回家也是进行一般洗润护发程序来保养头发。如果特别要说，我的头发比较细软，容易塌塌的，所以我会希望头发看起来蓬松一点，洗完头发后会全部吹干。如果有通告需要造型，则会用一些特殊的蓬松发雾，其他一切从简呢！

注重健康饮食习惯

我对吃的还是蛮重视的，早、中、晚餐都会吃。不过早餐、中餐会吃得比较多，因为要工作的关系，需要多补充一点体力（笑）。晚餐就分量比较少，特别是早餐我会吃些水果，因为水果可以帮助消化，促进新陈代谢，一大早吃效果最佳。另外，像是芋头、茄子这类会产生毒素，对身体不好的食物，我几乎是不吃的。

勇于面对消费者完成最好的发型

对于每一位来到店里的消费者，我都会先跟她们沟通。我不会去反对消费者想要的发型，我认为设计师跟消费者一样，都要不断地尝试。比如说消费者想要剪现在流行的妹妹头，我不会因为脸形不适合而建议她改变想法。我会好好在心里想好该如何为她修饰，帮她完成理想的妹妹头。勇敢地面对消费者，替她们完成他们想要的发型，我认为是每位设计师们必修的功课。

关于头发保养的各种问题，请教Tony老师！

Q1. 什么食物吃了之后，对头发会比较好？

A. 头发也需要很多的养分，别以为食物不会补充头发营养哦！当血液吸收养分后，会将养分输送到身体每个需要的部位，而头发需要的有：蛋白质、矿物质、维生素、水分等，尤其蛋白质是维持头发健康的关键，所以平时可以多吃些补充蛋白质的食物，另外，生活作息一定要正常，少吃刺激性食物，都可以让头发越来越漂亮哦！

Q2. 为何剪头发之后，头发的形状与发长过一阵子就不一样了？是因为每根头发生长速度不同吗？

A. 跟头发的生长速度无关，基本上每根头发生长的速度是一样的。剪好的发型会在短时间内会变样，可能是设计师在剪的时候没有根据发流与发质状况修剪，所以在剪头发前一定要跟设计师进行沟通哦！

Q3. 夏天紫外线照射头发是否真的会变色？该如何保护呢？

A. 要记得在大太阳底下撑伞或是戴帽子防止紫外线的直接照射，另外可以去买一些抗紫外线的护发产品，晚上进行修护的保养。

Q4. 自然卷的发质，有办法改善吗？

A. 可以的，因为自然卷的发质比较粗硬。记得勤护发，一星期约两到三次，吹头发时要由上往下吹，整头吹干才能去睡觉，不然容易乱翘，这样很快就会看到效果哦！

Q5. 很容易长出白头发，是为什么呢？该怎么改善？

A. 如果很年轻就容易长出白头发，表示生活压力过大，用脑过度或头发氧化等也是年轻时长出白头发的主因。保持愉快的心情，多运动舒缓压力，就可以保持美丽的黑秀发咯！

Q6. 受损很严重的发质，是不是就不能做与烫染相关的事情？

A. 是的。基本上要停止3个月任何与烫染相关的事情。如果受损很严重的话，则需要停止半年。

Q7. 头发尽量少沾染造型商品是不是比较好？

A. 保持头发自然状态当然是最好的，不过若需要用到造型品时，只要晚上洗头时彻底冲洗干净就OK！

Q8. 烫完头发后如何维持卷度？染发后如何维持颜色？

A. 不能用深层的洗发乳，因为那种类型的洗发产品清洁力强，会将发色与卷度都洗掉。现在有针对烫发与染发专用的洗发产品，大家可以选购这种类型的。

Q9. 受损很严重的发质，应该用什么护发产品快速修护呢？

A. 依受损程度，严重者使用冲水式，状况较轻者可选无须冲水式的护发产品。

Q10. 去salon店护发比较好吗？

A. salon的护发以专业护理为主，建议大家平常可在家里自己DIY进行简单的护发，每隔两个月去做一次专业深层头皮护理就可以。

一个好的设计师可以为顾客剪出梦想中的刘海，例如现在很流行的妹妹头或BOB头刘海，以前方形脸或是脸部棱角不圆滑的人不适合，但是现在设计师们的技术都越来越好，可以利用层次的修容技巧，就算是方形脸的妹妹头，看起来也跟瓜子脸一样小巧可爱哦！当然，每个人都有最适合的刘海与心目中想要的感觉，不妨多与设计师进行讨论，一定可以完成你梦想中的刘海。

妹妹头刘海VS脸形

瓜子脸

瓜子脸拥有天生的优势，不但可以剪出像赫本般复古的齐刘海，甚至如果脸本身就很小的人，剪到眉毛上方都是OK的！

圆脸

圆脸的人建议刘海可以剪厚一点，将本来后面的头发拉到前面，这样的刘海长度会变长，看起来有额头宽、脸也变长的感觉了呢！

方形脸

方形脸的人，除了跟圆脸一样可以剪厚厚的刘海外，建议刘海不要剪平的。最好剪出一个弧度。如果两边较长，可以修饰脸部的棱角。

分边型刘海VS脸形

瓜子脸

瓜子脸建议刘海的分线可以从眼球中央的延伸线分，差不多是六四分，这样看起来的比例刚刚好，不会让脸再度拉长，是完美比例哦！

圆脸

圆脸的人建议中分刘海，并且长且厚的刘海，可以遮住圆圆的脸颊，并且达到拉长的效果！

方形脸

方型脸的人刘海以七三或八二分最好，并且要注意发量多的一边，刘海要厚且长到耳中的位置，这样最能达到修饰角度的效果。

Emma

我来解答！

只要将头发刮蓬就可以变得年轻又时尚咯！

Step Go!

1 倒刮头发 如果头发真的烫得很卷，就将头发分成一小束一小束的用尖尾梳慢慢倒刮，倒刮的部分约在发尾到耳下的位置，如果整头刮看起来像爆炸头也不好，让发尾营造出蓬蓬的感觉最佳！

2 里层倒刮 不要忘了里层也要倒刮，这样头发才会被撑起来，看起来是真的有自然的弧度哦！

可使用单品

清爽不黏的强力定型液。

定型液／L`Oreal Paris

3 定型液 最后用手捧着倒刮好的卷发，均匀喷上定型液后，再将手放下，就是圆圆蓬蓬的卷发咯！

4 戴上发箍 发箍可戴可不戴，但如果怕下方头发蓬松会显得凌乱的人，可以加上可爱的细发箍，除了固定还能增加年轻感。

我来解答！

化妆师 Mina

只要用电卷棒＋发蜡抓准没错！

Step Go!

1

上面梳贴 将上面的头发用扁梳梳服贴，有个小技巧：可以先用定型液喷在扁梳上，这样头发不但会有光泽且自然，更重要的是不会被风一吹就乱了。

2

卷发加撕蓬 先用电卷棒将发尾卷起后，记得一定要用这个小技巧：用手指将卷发撕开，让发丝看起来比较有律动感。

3

抓蓬头发 双手沾满发蜡相互搓揉均匀后，以抓揉握拳的方式揉捏头发，可以再次塑型头发。因为离子烫后的发丝较硬，所以一定要再次利用发蜡定型才不会过几小时头发又变直咯！

可使用单品

liese Clear Cube Wax FIBER ファイバー 05

可以创造自然无造作的飞飞发！
舞妍6色发蜡／莉婕

我来解答！

化妆师 Mina

修容将脸变小也OK！

中央立体 使用带有珠光的粉色腮红，打在笑肌的正中央，先完成脸部中央的立体突出感。

脸缘修饰 脸缘部分利用深色系的腮红，大面积地扫过，尤其腮帮子的部分可以特别加强，制造阴影，一路刷到脖子为止。

可使用单品

两色编织而成的绝妙层次变化，画出立体感的彩饼。

玩色修容饼／PAUL＆JOE

可使用单品

橘色系加上淡淡珠光，气色看起来好好！

AUBE星幻双彩腮红／SOFINA

可使用单品

轻轻一刷马上发色明显，小脸效果十足唷！

柚橘花雾双色颊彩／stila

只要用电卷棒+高马尾就没错！

Step Go!

我来解答！

化妆师 阿紫

绑高马尾 将头发尽量拉高绑高马尾，这样的马尾不但不会厚重，且层次更加明显。不管夏天或冬天搭配衣物看起来都很清爽，整个人也变年轻许多呢！

卷电卷棒 可以抓几束马尾上的头发，卷起大大的卷度，就会让马尾看起来有刺刺的层次感，也增添了几分的飘逸感。

定型液 用定型液远距离地均匀喷上，不要看起来毛毛的，要将马尾的层次与飘逸感呈现出来才是重点。

戴上发箍 如果头发本身有自然卷，担心定型液还是不够维持清爽的发型，可以再加上细版的发箍，就可以维持定型时间更长咯！

可使用单品

柔顺好梳理好造型。

专业级负离子百变造型梳／飞利浦

PLUS加分版！！

用发卷＋摩丝就可以搞定！

化妆师 阿紫

涂抹摩丝 将摩丝倒在手掌上，先抓揉一下头发之后，再卷上发卷，因为摩丝有塑型效果，所以用来打底效果非常好。

卷发卷 首先选用中型的发卷，因为发尾已经很虚了，再用大型的发卷会卷不起来，而用最小的发卷则会过卷像阿嬷一样，因此建议大家选择中型的发卷。

卷起头发 利用手指抓取小束的发丝缠绕发卷，注意只要发尾就好，这样才能营造出让下层的头发看起来跟上层一样多的感觉哦！

固定 缠绕完毕后。记得用夹子固定一下。因为发束比较小，也比较容易掉，一定要用大夹子固定发卷。

等待15分钟 头发全部卷好后，等待15分钟后再放下，如果要加强卷度与加快时间，可以用吹风机吹3分钟再放下，不过要记得等头发冷却后才可以放下哦！

可使用单品

轻柔的质地也创造轻柔的卷度。

造型摩丝(轻盈曲线／史蒂芬诺而 STEPHEN KNOLL

利用缎带营造视觉错乱就没错！

我来解答！

化妆师 阿紫

刮蓬上层 将头发上层用扁梳从里层倒刮刮蓬，区域大约是头顶上方的U形区就好，让头型看起来比较圆，头发的厚度比较重，这样就不会感觉层次高、头发薄了！

扭转往上推 将倒刮的发束顺时针扭转一圈，用手指往上推一下，让头发的蓬度不会扁掉。

夹子固定 接着用黑色夹子，由下往上夹起固定。

戴上发带 可以用发带或是缎带直接带上，自然垂落于耳下，这样可以让视觉有错乱效果，让大家的目光注意到发带或缎带哦！

可使用单品

抢眼的大发带，马上遮掩住头发的缺点。

黑白发带／黛德美

头发分上下两层编发也OK！

化妆师 阿紫

预留小束刘海 因为要将头发编为上下两束，所以前方刘海不可以梳得太干净，可以先预留小束的刘海于前面，因为头发层次本来就打得高，所以发束不会太长，感觉杂乱，自然垂落两颊的感觉刚刚好。

扭转发束 接着将头发后面的U形区发束，先拉到侧边，用顺时针扭转的方式扭转两圈就好。

用夹子固定 直接用黑色发夹，由下往上夹起固定发束即可。

将下方扭转 下层剩下的发束也拉到同侧边，以扭转的方式转两圈，自然垂落于肩上就可以。

用夹子固定 最后用黑色发夹夹，由四面八方夹起固定即可。

头发分上下两层编发也OK！

我来解答！

Emma

Step Go!

上下两层

将头发分上下两层，下层的头发往内卷，并用黑色发夹夹起固定，像是把头发藏起来的感觉，马上就会变短发唷！

上层头发盖下

接着将上层的发发盖下，头顶可以抓一小束扭转夹起，让头发更有蓬度。

电卷棒

将上层的头发卷上电卷棒，感觉让头发看起来是卷卷的短发。

抓出发束

用发蜡稍微抓出发束感，让卷发有飘飘的感觉就对了。

利用小物转移焦点准没错！

Emma

直接戴上帽子

直接戴上可爱的帽子，如果发色浅可以选择颜色浅的，发色深则可选黑色等深色系，不要与发色相差太远，就不会显得突兀，视觉焦点刚刚好。

撕开头发

先用电卷棒将发尾稍微卷过后，直接用手指将卷度撕开，呈现出飘飘松松的感觉。

定型液

最后只要用有光泽感的定型液，加强发尾的卷度就可以咯！

报童帽效果时尚又能修饰。
帽子／黛德美

头发分上下层编发也ok!

扭转头发 抓出头发后面的U形区发束，顺时针扭转两圈。

用夹子夹起 用黑色夹子由下往上夹起固定扭转的发束。

戴上太阳眼镜或发箍 最后利用太阳眼镜或是发箍造型，一方面也可以避免自然卷的头发蓬起来，一举数得！

可使用单品

利用大大的太阳眼镜来做出造型。

太阳眼镜／FIN

可使用单品

基本款的发箍就可以！

发箍／黛德美

利用眼镜与眉毛修饰就OK!

化妆师 Mina

眉毛画高刘海不小心剪得太短的时候，可以利用眉毛的高度来缩短额头的宽度，可以将眉毛画的比平常高一些来转移焦点。

头发往前梳接着头发尽量往前梳，比如说厚发可以盖住两侧的脸颊，看起来短刘海的面积就不会那么大。

戴上眼镜准备各式各样可爱的眼镜，戴上后马上感觉不一样，也不觉得刘海过短了呢!

可使用单品

以眉粉来固定，就能以自然的阴影来产生立体感。

心机立体眉影饼 / SHISEIDO

可使用单品

利用胶框眼镜达到视觉错乱效果，大家平常可以多准备几副备用。

Part 6

由内而外塑造美丽秀发

天天居家护发保养，才能拥有美丽秀发！

头发是由外表层、皮质层组成，外表层则由3~10的角质鳞片所构成，可完整包围及保护头发内部抗拒外来刺激。而皮质层则是头发最主要的部分，是由18种氨基酸结合而成的软性蛋白角质，主要特质是维持头发弹性、韧性、渗透性，组织数量较多就会形成粗发，组织数量较少就会形成细发。

为了保持美丽的秀发，你应该要由内而外来改变！拥有正确的饮食习惯以及正确的洗润护发动作，你就可以拥有亮泽健康的秀发哦！

头发想长得好又健康，你吃对食物了吗？

头发会新陈代谢，每天梳头时掉一点是正常的，但是当生活与饮食习惯过于偏差时，会因摄取过量的油脂性食物，使得皮脂腺分泌过于旺盛而阻塞，就会造成掉发困扰！除此之外，吃太辣的东西会造成发质干枯，而且烟酒过多则会让流经头皮微血管的血液循环不良，也都会影响头皮的健康。

基本上头发的主要成分是角蛋白，含有多种胺基酸及几十种微量元素。若缺铁和蛋白质头发就会变黄及分叉。缺植物油、维生素A、蛋白质和碘时，头发会发干、无光泽及容易折断。缺维生素B群时会出现脂漏性皮炎及头发脱落现象。因此你想要头发美丽应该要多摄取以下食物。

对头发有益的OK食物

蛋白质

制造头发的主要成分，鱼、瘦肉、鸡蛋、牛奶、豆浆、黑豆及豆腐等，均含人体所需的良性蛋白质。这是首选美发养分，应该尽量摄取。

胶质

赋予头发光泽及弹性，白木耳、黑木耳、莲藕、牛筋及猪蹄等，均含人体所需的胶质。

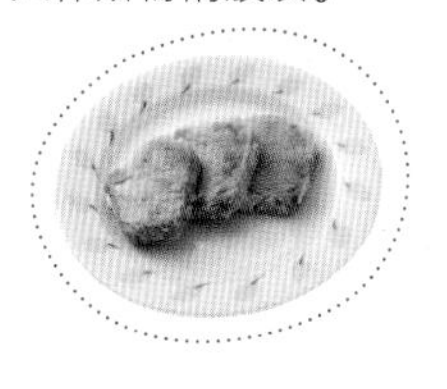

碘质

可增加腺体机能活跃，促进甲状腺功能，使毛发发育健康，海带、紫菜、海苔酱、昆布等均含丰富碘质。

维生素A及E及B6

能促进血液循环，防止脱发及预防白发和促进头发生长的作用，红萝卜、南瓜、花生、腰果、芝麻、小麦胚芽、菠菜及奇异果、麦片、花生、豆类、香蕉、酵母、蜂蜜、蛋类及猪肝等。

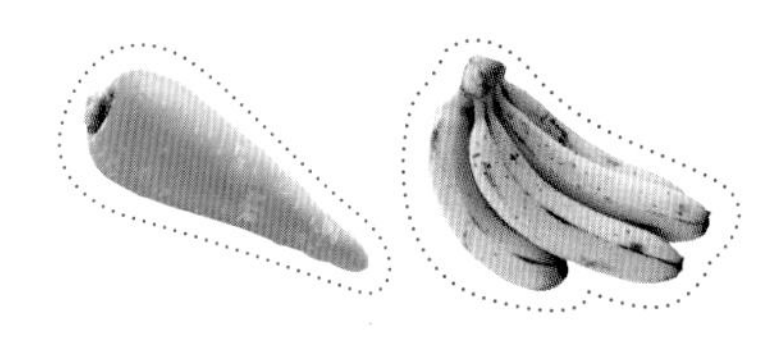

CHECK! 正确&错误的头皮保养概念

◎ 洗头发前一定要先用梳子将干的头发梳顺，这样不但能减少头发拉扯的状况而且还能先梳掉头发上的脏东西。

◎ 洗头时一定要用指腹，千万不能使用指尖，会抓伤头皮。

◎ 擦护发产品一定要在头发半干时擦，建议可轻搓比较干燥的发尾部分，而不要擦到头皮。

✖ 用热水洗头，会让头发失去光泽。

✖ 一天洗两次以上的头发。

✖ 湿湿的头发最脆弱，梳头的时候千万不能用拉扯的。

✖ 洗头后应该用毛巾用轻压的方式将水分挤干，不能马上拿起吹风机吹头发。

✖ 胡乱使用吹风机吹整，反而会使头发更乱，所以吹整前最好先将头发梳开，这样才能够避免头发打结。

✖ 吹整时尽量缩短使用时间，吹风机贴在头发上会伤害发质。

✖ 逆着毛鳞片吹头发。

对头发有害的NG食物

香烟

含尼古丁，会令血管收缩，妨碍血液流动，容易使位于肌肤最末端的微血管缺养，既伤害皮肤，亦令头发失去光泽弹性，变白或脱发。

辣椒

吃辣过多会令头皮的毛孔倒竖，影响血液流通，令发根难以吸取养分，阻碍正常生长。

咖啡

咖啡因同样会导致血管收缩，伤害皮肤及头发。

一起来学习正确的洗头方法

正确的洗发与护发能给受伤的头发营养成分，让头发由内到外恢复生气。洗头发时要注意必须照顾头皮、发根，因为这两个地方关系到头发健康！透过手指对于头皮的按压，能够增加头皮健康、血液循环、当然就可以增加头发的健康。然后发尾必须仔细的清洗，才能使头发发尾吸收到营养。

洗头的目的就在于洗掉头皮和头发上的脏东西，让头皮能好好地呼吸。

洗头发前，使用指腹将头发打结处解开，可以帮助将头皮上的污垢与头发的污垢梳掉。

用水浸湿头发，从头皮开始，直到底层的头发和上层的头发一样透湿透，倒出约1元硬币大小分量的洗发精在手上。涂抹在头顶上。

然后使用指腹像按摩似的揉洗。洗头时要清洁头皮的表皮层，因为头发容易被头皮的皮脂和汗液弄脏，应仔细揉洗。洗好后用清水反复清洗，直至头发上彻底没有洗发精为止。

润发

接着用手轻轻挤掉头发上的水分。

接着将分量约1元硬币大小的润发乳，从发尾开始涂抹，再一点一点的往上移动，不要涂抹到头皮才不会造成堵塞。最后再用梳子梳过，就可以整头均匀抹到。

将整头冲洗干净，接着用干毛巾轻拍头发，直到头发完全没有水分滴下来。

OK

再使用吹风机吹干即可，吹风机口要离头发15厘米，从发根开始吹干。

NG

干毛巾不能上下摩擦头发，因为湿的头发很脆弱，摩擦头发会造成伤害。

简单的按摩，能帮助头皮舒缓压力

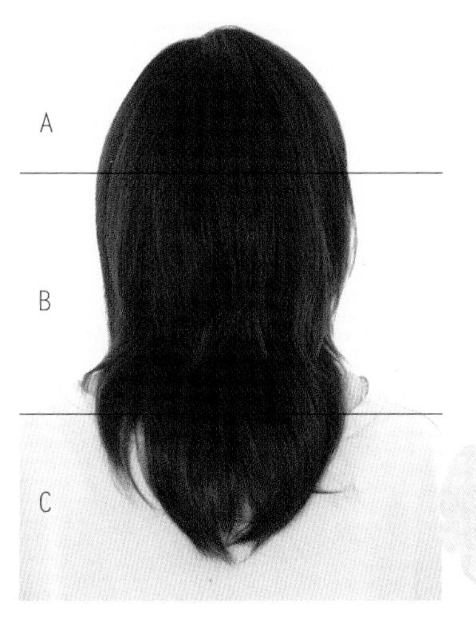

Step1

将头皮分成A、B、C三个区块。

Step2

从A区开始，使用大拇指，由下往上按压，接着同样按压B以及C区。

Step3

接着再从A区开始，以食指由下往上轻弹头皮。接着再轻弹B以及C区。

Step4

最后再从A区开始，以手掌背由左往右轻轻敲打，接着再同样敲打B以及C区。

干性发质的洗润护发产品推荐!

洗发

ORIGINS 发无结洗发精

适合中至干性发质，或常常打结、不容易梳整的头发。配方温和，含复方植物精油水蜜桃、柠檬、黑醋栗芽、欧薄荷，气味香甜，能去除烦忧、放松舒缓。

DHC 轻柔洗发精

能产生丰富的细致泡沫，温和洗净秀发与头皮，呈现前所未有的清爽飘逸质感。这种清爽的感觉源自于成分中的18MEA，18EMA原存在于头发表皮层的脂质中，具有保护发丝内部的作用。

涵庭 东方药草天然洗发精

有甜菜萃取物，蛋白质来自玉米与小麦的萃取，大豆可以抗敏、润泽和提供养分给头发与头皮，添加卡菲尔莱姆、柠檬草、薄荷等大然精油，能保持水分及滋养头发与头皮。

Aesop 温和头皮洁净液

清洁头皮不使头发干涩，富含的植物成分的温和洗发液。适合细软、脆弱(易断)及干燥的发质者使用，也适合染烫过及天生干性发质的人使用。

润发

AYURA 草本悦香润丝精

借由PH平衡效果、可保持毛发的弱酸性，将受损的角层强化恢复滑顺毛发。使毛发紧缩、呈现滑溜的触感。其草本芳香，具有治疗身心疲惫，使之舒适之效。

L'OCCITANE 欧白芷润发乳

蕴涵丰富甜杏仁油及欧白芷的润发乳，洗后滑顺不纠结，有弹性，增添亮丽光泽，丰盈柔顺，给予秀发柔软及提振的功效，并加强欧白芷洗发乳对干燥、染、烫及受损发质的修护功效。

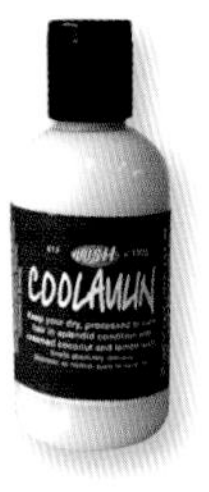

LUSH 酷老灵润发乳

充满馥郁甜美的南岛椰香!新鲜椰奶能深层滋润秀发，使用后残留的淡淡椰香给予你温暖的感受。用后可轻松用手指从发根一路梳理到发梢!

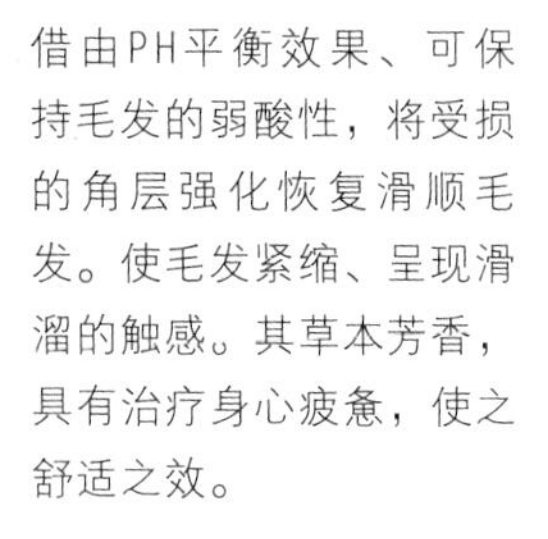

适合自己的洗发精就是好的洗发精!

怎样挑选洗发精?

一般市面上出售的洗发精都有标示适合油性、干性或是受损头发使用，其中的差别就在于洗净力，因此可以依自己头发的状况，做第一步的选择。其次可以依自己的工作环境，如灰尘多，可改用洗净力较强的油性头发用洗发精；如果冬天头发比较干燥，就改为洗净力较弱的干性洗发精；或是自己比较常洗头，也可以改选干性洗发精。

护发

ASIENCE
护发乳

专为现代人脆弱发质设计，萃取高浓度的东方美容天然素材的精华，能修护受损而脆弱的头发内部纤维，紧实根根发丝，即使是绑过的头发也不会留下痕迹。

L'OCCITANE
欧白芷修护发膜

蕴涵具修护及滋养的天然植物活性成分，及精华油复合物，能迅速大量补充头发所需的养分。经常做定期深层护发保养，可以让发质看起来光泽及健康。

STEPHEN
KNOLL 恒采
护发膜

修护受损头发，让反覆染、烫后的发丝光滑柔顺。完全深入发心充分润泽，修护秀发内部空洞。防止毛发受损同时修护发丝，让受损头发恢复柔软的护发膜。

KOSE 蔷薇
护发膜

添加植物性滋润成分玫瑰花蒂油以及毛发修补成分，能彻底修护受损发丝，使秀发柔顺好梳理，同时持续散发蔷薇香气的深层护发乳。

玛宣妮
极致亮泽护
发霜

极致亮泽护发霜能紧密附着于毛鳞内侧，修补毛鳞间的凹洞空隙，连发梢也散发具有透明感的白金级光泽，隔天依然呈现水漾柔顺的亮泽秀发。

Aesop 玫瑰
滋润护发膜

以活性植物成分为无生气、干硬的头发注入滋润。也能镇静、滋润干痒、有头皮屑的头发，并给予头发较长时间的保湿。每次使用后头发更为柔润和明亮。

DHC 薰衣草
柔顺护发乳

适合因染发与脱色而受损的发质。其成分除了富含有橄榄精华油，另添加了白檀木、大麦等植物精华，能修复吹、风、染、烫与紫外线为头发所带来的伤害，并提升染发色彩的持久度及色泽，使用后能让秀发获得充满水嫩光泽感的柔顺质感，并散发薰衣草及迷迭香的天然草本芬芳。

La Mi 丝亮活
发精华露

能集中修护并抚顺受损及染烫后的毛鳞片，改善粗糙的发质及发尾分叉，加强发根活力，回复亮泽柔顺。立即补充水分，呈现光亮、健康、柔顺的秀发。

头发保养

中性发质

中性发质的洗润护发产品，推荐！

洗发

ORIGINS 清爽薄荷洗发精

复方植物精油欧薄荷、绿薄荷、巴西薄荷，立刻感觉头皮清爽，清新有朝气。柔和的洁净成分，促进血液循环，唤醒你头皮的细胞，使发生气勃勃。

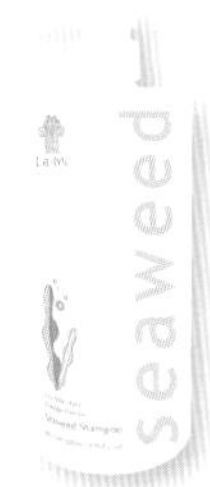

La Mi 海藻弹力修护洗发乳

添加海藻萃取及海藻修护精华，能增加头发弹性及强韧度，并提升发丝的保水度。并富含丝蛋白及阳离子维生素原B5，可修护受损发质，减少分叉及改善毛躁现象。

MA CHERIE 还原光泽洗发乳

增加去除金属离子成分配方，能洗去水中伤害秀发的金属离子，让头发不再毛躁，同时提高润发乳的滋润效果，让秀发柔顺有光泽。

海飞丝 海洋活力海洋精华洗发乳

结合海洋精华及去屑配方，能清洁舒缓头皮，滋润秀发，恢复细胞活力，带给您朝气与焕然一新的感受。

润发

ASIENCE 清爽保湿润发乳

多添加高达50%的清爽保湿成分，由内部补充头发水分，温和洗净油脂，洗后头皮清爽，秀发清盈保湿又水亮。

涵庭 花采天然润发乳

能迅速恢复及补充头发弹性所需的养分，荷荷巴油可软化发丝，天然润丝成分可补充受损发质所需养分，金盏花萃取对于头皮有镇静舒缓之效。

Aesop 赋活润发乳

适用于经常洗头发有染发或曝晒于阳光下的人，温和地滋润、柔顺头发的最需部分——发梢，并且不留下任何油脂于发上或残积于发根。

LUSH 美国派对润发乳

香甜浓郁的香草、蜂蜜与柳橙等精华可以为秀发带来光泽养分!香草基调的香氛，可持续一整天，让你的身心与发丝都能得到持久的甜美呵护。

护发

ORIGINS 服服贴贴护发霜

强效的护发膜，适合中、干性、受损、毛躁的发质。天然滋养成分迅速修护、滋润、养护头皮及发丝，同时保护秀发免于外界伤害，维持健康亮丽!

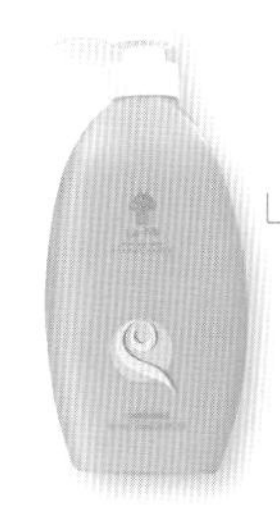

La Mi 护发乳

添加毛发修护成分，能渗透至头发深层出，由内而外深度修护因染、烫受损部分头发，不再毛躁、干枯，光亮柔顺好梳理。

THE BODY SHOP 罂粟籽3分快速滋养发膜

含罂粟籽油、豆类氨基酸、橄榄油，罂粟籽油多种必需脂肪酸，能快速渗入发干，深层保湿及修护毛鳞片，瞬间增加发丝的弹性与光泽。

TSURURU 资生堂母乳按摩发膜

添加植物性滋润成分玫瑰花蒂油及毛发修补成分，能彻底修护受损发丝，使秀发柔顺好梳理，同时持续散发蔷薇香气的深层护发乳。

涵庭 天然紫苏发膜

天然紫苏成分，可抗氧化及有效保湿秀发，能强韧发根，修复受损的头发并能隔离、预防化学污染及紫外线，恢复发质光泽及弹性。

THE BODY SHOP 葡萄籽修护亮丽露

含葡萄籽油、芝麻油、荷荷巴油、佛手柑，修护毛躁及分叉的发尾，使秀发滑顺健康有光泽。可以强化发质弹性，不论头发干、湿，均可用于发尾。

THE BODY SHOP 橄榄护发乳

橄榄叶萃取可抗氧化，保护秀发、提高亮泽感，使秀发柔顺。水解小麦蛋白可增加头发的滋润与光泽，能强化发丝结构，修护受损的角质蛋白。

LUSH 茉莉佳人洗前护发霜

让头发尽现亮泽感、滑顺好梳理的洗前护发霜。浓郁优雅的茉莉与伊兰花香，专为突显东方女性内敛静雅的迷人风采所精选的香氛与护发素材。

油性发质的洗润护发产品，推荐！

洗发

ORIGINS 无屑可击洗发精

复方植物精油佛罗里达葡萄柚及欧薄荷，能彻底清除附在发上的残留物，同时排解压力、平衡情绪、恢复活力。天然洁净成分，深层净化头皮，有效促进新陈代谢，让缺乏生气的秀发迅速恢复健康光泽，活了起来！

La Mi 绿茶去油洗发乳

针对油性及偏油性头皮者设计，去屑精华可减缓皮脂分泌的速度、并深入清洁头皮与发根，维持长效的清爽感受，可适度减少头皮屑及止痒的效果。

Aesop 双效头皮洁净液

含薰衣草精华，具平衡效果的头部清洁液，能完全地去除发根的油脂却不让发丝干涩，迷迭香益于皮下的血液循环，让头发生长得健康。

LUSH 头皮SOS按摩饼

清爽的薄荷精油，加上抑菌的茶树精油，可调理头皮油脂分泌、减少头皮屑生成。另添增薰衣草花香，从头带给你镇定平静的舒缓感受。

润发

涵庭 香木系列天然润发乳

含有机蜂蜜、荨麻叶萃取、马尾草萃取、水田芥萃取，专为油性发质所设计的配方，可平衡油脂分泌。舒爽头皮、并且促进头皮的血液循环。使秀发柔顺、好梳理。

海飞丝润发乳

配方蕴涵天然薄荷成分，给头皮清凉舒爽感受，带走油腻，还可镇静滋养头皮，呵护秀发。

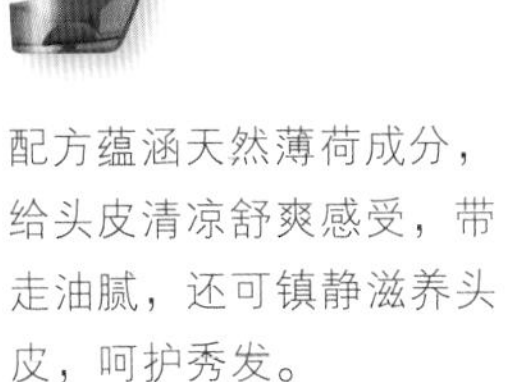

潘婷 润发乳

弹性丰盈润发乳能够加强头发的内在韧性，使原来过于贴服而缺乏生气的头发显得更有层次，能有效恢复头发的丰盈和健康弹性。

沙宣 顺直贴服润发乳

全新推出的顺直贴服系列，含有特殊垂坠粒子科技，帮助头发挥别毛躁蓬蓬头的窘境，让你的头发就是直到底！顺直贴服润发乳：让乖张的毛鳞片听你的话，服服贴贴，水亮迷人！

护发

玛宣妮 活力SPA按摩护发霜

头皮感到温热后，它富含的双重深层滋养配方蜂蜜萃取菁华&山梨醇菁华，能够提供天然浓郁的修护，同时直达头皮层和发丝芯。接着“超保湿成分”可以会进行提供发丝润泽水分，而新研发的“超长效配方”更让这样深层的护发效果持续长达10天之久。

潘婷 水漾乳液修护三重深层修护膜

修护膜蕴涵焕发氨基酸维生素原，能有效补充秀发每日自然流失的氨基酸。深层修护受损，使秀发加倍强韧。温和滋养发丝，使秀发恢复滑顺，自然亮泽。

TSURURU 大岛桩 花彩染烫护发液

不需冲洗！含珍贵日本桩油及丝蛋白，能深入发丝提供修护及保湿。染发或烫发前使用，能减缓秀发的严重受损。染发或烫发后使用能加强修护并保湿。

THE BODY SHOP 荨麻叶护发乳

含有机蜂蜜、荨麻叶萃取、马尾草萃取、水田芥萃取，专为油性发质所设计的配方，可平衡油脂分泌。舒爽头皮，并且促进头皮的血液循环。使秀发柔顺、好梳理。

Bed Head 活力修护素

独特滋润配方除了提供头发足够的水分，同时也有抗氧化的功能，特别适合健康发质，天天给头发最佳保护，并有护色及抗静电效果。

SEXY GIRL 夜间修护保湿精油

修补：不只表面更进入到深层彻底修补受伤毛发，保湿：彻底浸透发丝，毛发自然光亮。保护：借着吹风机的热气在头发上形成保护膜，夜晚集中呵护保养。

你需要护发吗？

护发乳无论是在洗头前使用还是洗头后使用，需要冲掉还是不需要冲掉，护发乳的作用就是抹平头发掀起的毛鳞片，让头发变得平顺有光泽。

不过要注意的是，头发是死的细胞，不可能永久修复受损的头发，因此所有的护发产品都是暂时性的，下次洗头就会洗掉。

瑞丽美人

百变发型 影音魔法书

超值附赠！最实用8大场合发型，独家示范影音DVD

上学LOOK　面试LOOK　度假LOOK　聚会LOOK
约会LOOK　会议LOOK　晚宴LOOK　居家LOOK

精选8种必学最实用发型，结合工具使用技巧，麻豆DIY示范造型技法，生动的步骤字幕及旁白详细解说，边看边学超EASY，即使不上发廊也可以自己创造漂亮的发型，清楚的教学影音绝对是可以珍藏的变发宝典哦！

DVD粘贴处

蒂

思大语文分级阅读

第二学段·3~4年级

[瑞士] 约翰娜·斯比丽 著
学而思教研中心 改编

石油工业出版社

前言

写给爸爸妈妈和老师

“阅读力就是成长力”，这个理念越来越成为父母和老师的共识。的确，阅读是一个潜在的“读——思考——领悟”的过程，孩子通过这个过程，打开心灵之窗，开启智慧之门，远比任何说教都有助于成长。

儿童教育家根据孩子的身心特点，将阅读目标分为三个学段：第一学段（1~2 年级）课外阅读总量不少于 5 万字，第二学段（3~4 年级）课外阅读总量不少于 40 万字，第三学段（5~6 年级）课外阅读总量不少于 100 万字。

从当前的图书市场来看，小学生图书品类虽多，但未做分级。从图书的内容来看，有些书籍虽加了拼音以降低识字难度，可文字量太大，增加了阅读难度，并未考虑孩子的阅读力处于哪一个阶段。

阅读力的发展是有规律的。一般情况下，阅读力会随着年龄的增长而增强，但阅读力的发展受到两个重要因素的影响：阅读兴趣和阅读方法。

影响阅读兴趣的关键因素是智力和心理发育程度，而阅读方法不当，就无法引起孩子的阅读兴趣，所以孩子阅读的书籍应该根据其智力和心理的不同发展阶段进行分类。

教育学家研究发现，1~2 年级的孩子喜欢与大人一起朗读或阅读浅近的童话、寓言、故事。通过阅读，孩子能获得初步的情感体验，感受语言的优美。这一阶段要培养的阅读方法是朗读，要培养的阅读力就是喜欢阅读，还可以借助图画形象理解文本、初步形成良好的阅读习惯。

3~4 年级的孩子阅读力迅速增强，阅读量和阅读面都开始扩大。这一阶段是阅读力形成的关键期，正确的阅读方法是默读、略读；阅读时要重点品味语言、感悟形象、表达阅读感受。

5~6 年级的孩子自主阅读能力更强，喜欢的图书更多元，对语言的品味更有要求，开始建立自己的阅读趣味和评价标准，要培养的阅读方法是浏览、扫读；要培养的阅读力是概括能力、品评鉴赏能力。

本套丛书编者秉持“助力阅读，助力成长”的理念，精挑细选、反复打磨，为每一学段的孩子制作出适合其阅读力和身心发展特点的好书。

我们由衷地希望通过这套书，孩子能收获阅读的幸福感，提升阅读力和成长力。

学而思教研中心

目录

来到高山牧场

上山去

这是一个坐落于群山脚下的瑞士小镇，名叫美茵费尔德。这里风景如画，静谧（jìng mì 安静）祥和，洋溢着浓郁的自然之美。灿烂的阳光柔和地洒在气势雄伟的群山之上，为高耸陡峭的山峰镶上了一圈淡雅的金边。山谷幽深寂静，仿佛蕴藏着古老的秘密。小镇后面绵延出一条幽静的小路，蜿蜒而上，向山顶而去。这里的低地草木稀疏，空气中常弥漫着从高处牧场飘来的扑鼻花香，沁人心脾，真令人如痴如醉。

就在这样一个风和日丽的六月早晨，一个高个儿姑娘正沿着山坡小路向山顶前进。她看上去青春洋溢，仿佛有使不完的力气，一手提着包裹，一手还牵着个小女孩儿。小女孩儿看上去只有五岁左右，稚气的小脸被炽热的阳光晒得像个红彤彤的大苹果。也难怪，这么热的天气里，她却被裹得严严实实，好像还身处寒冬腊月一般。她穿着两层罩衫，一件套着一件，脖子上还围了条大红围巾。这里三层外三层的装束，让人完全看不出她的实际身形，倒像是个鼓鼓囊囊的包裹一般。此时，小女孩儿正踩着一双又厚又重的长筒钉靴，气喘吁吁地跟着高个儿姑娘一起往山上爬。

两个人这样爬了一个多钟头，方才抵达了半山腰一个叫作德芙里的小村庄。这里是高个儿姑娘的家乡。一进村，人人都亲切地朝她打招呼。可姑娘只是匆匆地应和着，仍一个劲儿地往前走，就这样从村头一直走到了村尾。当她路过最后一间屋子时，只听房间里传来了热情的招呼声："蒂提，你慢一点儿！是要往山顶去吗？是的话，我正巧能同你结伴儿呢。"

听到了熟悉的声音，叫蒂提的姑娘才停下脚步。她这一停下，小女孩儿便马上挣开了手，一屁股坐到了地上。

"海蒂，你累坏了吧？"见小女孩儿气喘吁吁的样子，蒂提揉了揉她的头发，笑着问道。

"不累不累，就是……就是这天气实在太热啦！"被叫作海蒂的小女孩儿上气不接下气地回答道。

"别担心，我们很快就到了！只要你大步往前走，再坚持一个钟头的工夫我们就到啦！"蒂提捏捏海蒂小小的肩膀，给她鼓劲儿。

这时，一个身材丰满、面容和善的村妇从屋子里走了出来，这就是刚才招呼蒂提的老熟人芭毕。于是，这趟上山的旅程又多了一个人。芭毕和蒂提一边往前走，一边东家长西家短地聊起天来，把德芙里村和附近人家的是是非非都说了个遍，二人似乎都忘记了小女孩海蒂的存在。海蒂连忙站起身来，小跑几步跟在了两个大人身后。

"我说蒂提，你要把这小孩儿带到哪儿去呀？"芭毕回过头瞥了一眼海蒂，小声问道，“这应该就是你姐姐留下来的小可怜吧？”

“正是啊。”蒂提叹了口气，回答说，“我要带她上山顶大叔那儿去，以后她就跟着大叔一起生活。”

“什么？”芭毕吃惊地差点跳起来，“你疯了吧？让这么小的孩子和那个牧场大叔一起生活？亏你想得出来这个主意！我敢打包票，大叔听了你这话肯定会撵你出来，搞不好还要打断你的腿！”

“笑话，他凭什么？这可是他的孙女，放在我这里这么久了，也该轮到他为海蒂尽尽心了吧。跟你说，我费了好大力气，终于得到了一个金饭碗，绝不能因为这么一个孩子而错过。现在是她爷爷尽责任的时候了！”

“如果是别人倒还好说，可这不是别人，是牧场大叔啊，一个彻彻底底的怪人！”芭毕认真起来，语气异常坚定，“你又不是不知道这个大叔有多古怪，他怎么可能明白如何照顾孩子，还是这么丁点儿大的孩子呢？这小姑娘怎么受得了？还有，你是说你得了份好工作？到底是要去哪里呀？”

“去德国！”蒂提眼中闪烁着骄傲的快乐，几乎要溢出来，她忍不住高声答道，“是啊，一份极好的工作，到法兰克福的大户人家里去！去年夏天，这家人来拉加兹的温泉区度假，我当时正好在他们的旅馆房间做服务生。那时他们就想把我带回家去给他们干活儿啦。但当时碍于这孩子还太小，我放弃了这个机会。今年这对夫妇又来了，再次提出要带我走，我可绝不能错过这次好机会！”

“唉，我只能说，幸好我不是这个可怜的孩子。”芭毕无奈地叹了口气，“说起山顶上这个老头子，天知道他是怎么在山上生活的！这么些年来，从没见过他和谁来往，也从未见他出入过教堂半步。大伙儿都被他那凶神恶煞的长相吓得不轻，偶尔看到他拄着个拐棍儿下山来，都哆哆嗦嗦地给他让路。瞧他那乱糟糟的大把胡子，浓浓的两道粗灰眉毛，活脱脱像个野人，这要是一个人走在山上遇到他，非吓昏过去不可！”

“管他是什么妖魔鬼怪，现在他必须得好好照顾孙女，这是他应尽的责任！如果这孩子有个三长两短，错的就是他，而不是我。”蒂提斩钉截铁地说道，丝毫不受芭毕那一席话的影响。

“我呀，也就是想知道，”芭毕小心翼翼地探听道，“到底这个老头儿有什么见不得人的秘密，要藏着掖着，一个人住在山顶上，不敢露面？大家都议论纷纷呢。想必你一定知道这其中的缘由吧？你姐姐一定给你讲过许多关于他的事儿。”

“那是自然了，不过我可不敢乱说，要是传到那老头儿耳朵里，我可就惨啦！”

尽管蒂提这样说，芭毕仍不想白白错过这个了解怪老头儿的大好机会。她的娘家就在山下的普莱蒂高村，不久前刚嫁到了德芙里，对村里的事儿还不太了解。偏偏她又是个好奇心极强的人，听说了许多关于这怪老头儿的传言，见多了村里人谈起怪老头儿时那吞吞吐吐、欲言又止的样子。很显然，大家不愿说老头儿的好话，但似乎也不敢说他的坏话。这究竟是怎么一回事呢？还有，难道这个老头儿没有名字吗？为什么大家都统一口径，叫他牧场大叔？他总不能是村里所有人的大叔吧。不过大家都这样叫，芭毕也只得入乡随俗，跟着这样称呼那隐居山顶的老家伙。现在，谜团可以解开了，因为她的朋友蒂提回来了。蒂提可是村里土生土长的姑娘，一年前母亲过世后，才搬离了德芙里，到拉加兹温泉旅馆做女招待。今天早上，她就是领着海蒂从那里出发，搭了辆拉干草的马车回到美茵费尔德镇的。德芙里村的秘密，她都知道得一清二楚。更重要的一点是——她是牧场大叔的亲戚！

现在正是打听的大好时机，芭毕马上亲密地挽起蒂提的胳膊，柔声央求道："难道你还不相信我的为人吗？就给我讲讲牧场大叔的事儿吧，至少告诉我，村里关于他的那些传闻是真是假呀？他究竟是怎么个来历，为什么不见人，又为什么让人人都怕他？都说来听听吧！"

"我可不清楚这些事儿。我才二十六岁，他都七十多了，即便他年轻时有过什么壮举，也不会被我看见。不过，他和我妈妈是老乡，都来自托姆列休克。你要是保证不回娘家村里乱嚼舌根，我就把我知道的关于他的事儿都说给你听。"蒂提盯着芭毕的眼睛，露出了些许怀疑的神色。

"哎呀，你这是说的什么话，把我当什么人了？"芭毕有点不耐烦了，忍不住顶了一句，"我娘家村可没那么多说人是非的闲人。我这个人，在关键时刻完全能管住自己的嘴。我敢打包票！"

"好吧，你要说话算话哦。"蒂提一边说着，一边回头看了看，担心海蒂走得太近，听到她接下来要说的话。这一看不要紧——哪里还有孩子的影子！刚才她们两个人光顾着说话了，一点儿没注意到海蒂早就不在后面跟着了。蒂提焦急地停下脚步，四下张望起来。顺着蜿蜒的山路俯瞰下去，能一眼望见德芙里村，可却连海蒂的影子都没见到。

“啊，在那儿！”眼尖的芭毕先发现了海蒂，连忙叫起来，“看见了吗？”她指着离山路很远的一处地方说，“那小姑娘正跟羊倌儿彼得一起放羊呢。也怪了，怎么彼得今天这么晚才赶羊上山呢？不过这样也好，他可以帮着看顾那小孩儿，你我可以安心说话了。”

“那个小丫头可用不着别人费心照顾，”蒂提苦笑着说道，“她自己完全能行，别看她人小，主意可大着呢，绝不会吃亏上当！这对她接下来的生活有好处，毕竟，那老头儿现在只剩下两只山羊和山顶的一座小茅屋了。”

“快给我讲讲这老头儿吧！他以前的境况一定比现在好很多吧？”芭毕急不可耐地问道。

“或许吧。唉，这可说来话长了。”

爷爷的故事

“别看我大叔现在这样，他以前曾在托姆列休克有一个大农场，是最好的那种。他是家中的长子，只有一个弟弟，那男孩儿为人十分正直，与我大叔截然不同。我大叔整日游手好闲，净和一些不三不四的人混在一起，酗（xù）酒、赌博，无恶不作，把家业败得精光。可怜他的父母，被他的恶行逼得无地自容，活活气死了。他的弟弟也受到连累，变得一贫如洗，一气之下远走他乡，至今杳无音信。好好的一家就这样被我大叔搞得家破人亡，他自己也没了踪影。起初谁也不知道他去了哪儿，后来隐隐约约听说，他去那不勒斯参军了。之后的十几年，就再没听到他的消息了。”

“那他是怎么又住到这里了呢？”

“你别急，我正要说呢。有一天，大叔突然回来了！还带着一个半大不小的儿子。他想把儿子托付给亲戚照看。可是谁愿意帮这样一个臭名昭著的人呢？家家户户都对他大门紧闭。这可把我大叔气坏了，他发誓此生再也不会回到托姆列休克，然后就带着那个叫托拜厄斯的男孩儿住到德芙里村来了。我们猜测，他大概是在南下途中结识了妻子，又生下了儿子吧。但显然，他妻子在结婚后不久就死了。那时，大叔也攒了些钱，就把儿子送去木匠那里学门养家糊口的手艺。话说回来，托拜厄斯倒是个不错的孩子，村里人都喜欢他。不过我大叔却没有这么好的人缘了，没人敢和他深交。据说他是从那不勒斯军队犯了事儿逃出来的，说是杀了人，而且不是在战场上，明白吗？是在斗殴中。但即便如此，我们家还是认了他这个亲戚。我妈妈的奶奶和他的奶奶是表姐妹，所以我们叫他大叔。而德芙里村所有人都和我们家沾亲带故，一来二去，大家索性都叫他大叔了。自从他搬到了高山牧场去，大家全都叫他大叔了。”

“那，托拜厄斯呢？”芭毕急不可耐地问道。

“你可真是个急性子，我这不是马上就讲到他了吗？托拜厄斯跟着麦尔斯的一个木匠学手艺，出师后就回到德芙里村，娶了我姐姐阿尔菲特。明眼人看得出来，他们早就互相爱慕了。婚后，他们小两口的日子的确和和美美。可是好景不长，结婚才两年，托拜厄斯在帮人盖房子时，被一根突然倒下的梁柱活活给砸死了。我姐姐阿尔菲特看到丈夫血肉模糊的尸体后，惊恐万分，发起了高烧，从此一病不起。可怜的姐姐啊，她原本就体弱，遭受这样可怕的致命打击，自然是挺不住的。没过几个礼拜，就随托拜厄斯去了。”

芭毕叹了口气：“真是命苦之人。”

“这还招来了邻里们的闲言碎语，都说是我大叔造的孽报应到儿子家来了，有些人甚至当着他的面儿这样说，就连牧师都劝他多做祷告，忏悔自己的人生。这些事情让我大叔的性子越来越暴躁和阴郁了。他再也不和任何人说话了，邻居们也都像躲瘟神一样躲着他。终于有一天，他搬到山上去了，从此再也没有下山生活过，一个人在山顶住到了现在。村里人说他‘对整个世界都怀有敌意’，我倒觉得这话不假。”

“阿尔菲特离世时，她的女儿才一岁，我和妈妈把她领回家里抚养。去年夏天，我妈妈也过世了，我去镇子里找工作，便把这小姑娘托给了波沙村的乌赛鲁老奶奶照顾。整个冬天，为了能时常照看海蒂，我靠着缝缝补补的手艺一直坚持留在镇子里。可春天一到，我在法兰克福的客人又回来了，就像我刚才跟你说过的，他们又要我和他们一起走呢，后天就要动身了，那可真是一份好差事呢。”

“所以你就把这小孩子留给了山上的老头儿吗，亏你狠得下心。”芭毕忍不住责怪道。

“那你说我还能怎么办？”蒂提委屈地喊道，“这些年我已经为这孩子操碎了心，总不能把她也带去法兰克福吧。啊，芭毕，你这是要干吗去？”蒂提讲到一半，发现芭毕已经准备改道了。

“我要去彼得的妈妈那儿，让她给我纺些线。再见吧蒂提，祝你好运！”芭毕说罢便向山间彼得家的褐色小木屋走去了。

羊倌彼得只有十一岁，他的小木屋建在离路几步远的山间凹地里，破旧不堪，所幸低洼的地势让小木屋躲过了强劲的山风。即便如此，住在这样的小木屋里仍然是不安全的。风一吹，所有的门窗都“嘎吱”作响，摇摇欲坠。每天早晨，彼得都会走出这间小屋，下山去往德芙里村，把村里家家户户的羊赶到高山牧场上去，让它们在上面转悠一天，尽情享受丰茂的嫩草。直到傍晚，彼得才和羊群一起下山来。一回到德芙里村，他就会神气地吹起响亮的口哨，各家各户听到口哨，就会派家中的孩子出来领回自家的羊。而这也是整个夏季里彼得唯一能见到其他同龄孩子的时候，其余时间，他都只能同山羊为伴。彼得也很少在家陪伴妈妈和瞎眼的奶奶，每天一早匆匆吃完简陋的早餐就跑出门去放羊，晚上又想尽办法和德芙里村的孩子多玩儿一会儿，很晚才回家。吃过晚饭后，困意袭来，倒头便睡，几乎没有时间和家人聊天。他的爸爸以前也是一个羊倌，几年前伐树时受了重伤，不幸去世了。他的妈妈叫布丽奇，被大家称作“羊倌的妈妈”。他的瞎眼奶奶是全村人都熟识的，很有威望，大家都叫她“奶奶”。

且说蒂提和芭毕说了好一通故事，发现海蒂和彼得都不见了，此时正焦急地寻找呢。她沿着小路爬到高处视野开阔的地方四处张望，可就是不见两个孩子的身影，不由得焦急起来。

原来，那两个调皮鬼早就偏离了小路，兴奋地在山上绕行呢。彼得知道哪里有山羊爱吃的矮树丛和灌木，所以他总赶着羊群

在山上绕来绕去，让山羊细嚼慢咽。这可为难了跟在他身后的海蒂。她穿得鼓鼓囊囊的，迈不开步子，累得气喘吁吁。彼得却只穿着单裤，赤着脚，上蹿下跳的样子也像只山羊一样敏捷。海蒂看着彼得，一声不吭地想了想，突然一屁股坐到地上，麻利地脱下了鞋袜，又扯下脖子上的厚围巾，解开外衣，把蒂提姨妈为了少带行李而套在她身上的衣服全脱了下来，只穿了一条轻巧的裙子。她高兴地在空中挥舞了两下自由的双臂，又把脱下来的衣服整齐地叠放成一堆，就一蹦一跳地去追彼得了。起初彼得还没有注意她在干什么，现在发现她穿得那么轻便，像只活泼的小兔子一样向他跑来，不由地咧嘴大笑起来。当他回过头看到草丛里那堆海蒂脱下来的衣服时，笑得更欢了，但他什么话也没有说。海蒂的话却多了起来，现在的她像风一样自由了，一个劲儿地问彼得问题：有多少羊、要赶着它们去哪儿、到了以后要怎么放牧……彼得也只好一一作答。最后，他们终于来到了山腰的小屋跟前，重新进入了蒂提的视野。

“海蒂，你这是在干什么呢！你的衣服和围巾呢？之前给你新买的鞋、新织的袜子，你都丢到哪儿去啦？”蒂提看到海蒂，便生气地大喊大叫道。

海蒂却十分平静，指了指刚才脱衣服的地方：“都在那儿呀。”

蒂提顺着海蒂的小手所指的方向看去，果然看到那里有一团东西，最上面还有一个红点，肯定是海蒂的红围巾。

“小讨厌鬼！你这是要干什么？”蒂提发起脾气来。

海蒂还是一副淡定的样子：“我又不需要它们。”她似乎觉得这个理由很充分。

“你这个傻瓜！你把它们脱在那儿，现在又跑到这儿了，等你回去把它们捡回来，又要半个多小时，我们今天还要不要上山了？彼得，你别愣着，快下去帮我把这小丫头的衣服拿上来！”

在这之前，彼得一直双手插兜，饶有兴致地看着蒂提对海蒂大喊大叫，现在听到蒂提命令自己，他也一脸无所谓地拒绝了：“我今天本来就出来晚了，可耗不起这个时间啦。”

蒂提瞪了一眼彼得，又眼珠一转，换了一副口吻：“就烦请你帮我跑一趟吧，我这儿有好东西给你。”说罢，她从口袋里掏出了一枚崭新的铜币。彼得一看到这枚铜币，二话不说，拔腿就往回跑，沿着陡峭的山坡一路狂奔，眨眼工夫便把海蒂脱下来的衣服捡了回来，连蒂提都不得不称赞他的速度，把铜币赏给了他。彼得接过铜币，马上把它藏进了兜里，乐得合不拢嘴。这笔财富可是他赶几天羊都赚不来的。

“你就帮我把这些衣服抱到大叔那儿吧，反正咱们也是同路。”蒂提说完，便沿着羊倌家后面陡峭的山坡向上爬去。

彼得欣然同意，用左胳膊夹着衣服包，右手挥鞭赶着羊群，跟在了蒂提后面。这样大约走了一个小时，他们终于来到了高山牧场。

你好，爷爷

牧场大叔的小茅屋就搭在牧场的一处高地上，虽然四面受风，却沐浴在灿烂阳光之下。这里视野开阔，可以将山下的风景一览无余。小屋后面，有三棵古老的杉树枝繁叶茂，远处还有一脉山峰，怪石嶙峋（lín xún），山巅陡峭，颇有野趣。

茅屋面向山谷的那一侧有一条牧场大叔钉的长椅。此刻，大叔就悠然自得地坐在那里，叼着烟斗，安静地注视着山路上的人。

海蒂最先到达此处，看到老人，她毫不认生地径直走上前去，向老人伸出手："你好，爷爷！"

"这……这是怎么回事啊？"老人粗声粗气地问道，握住海蒂的小手，仔细打量着这个小姑娘。海蒂也眨巴着亮晶晶的眼睛仔细观察着爷爷，这个爷爷可真奇怪，长长的白胡子，两条粗粗的灰白眉毛几乎连在一起了。

这时，蒂提也赶了上来，早她一步到达的彼得正站在一旁，等着看好戏。"我给您把托拜厄斯的孩子领过来了，您可能认不出她了吧，毕竟她一岁起您就没再见过她了。"蒂提走到了老人面前。

老人马上露出了愤怒的神色，用粗暴的语气对着蒂提大吼大叫："你把她领到我这儿来干吗？"

"让她和您一起生活。这四年，我已经尽全力照顾她了，现在轮到您尽亲爷爷的义务了。"

"轮到我？说得好听。等你走了，她又哭又闹地找你，你叫我上哪儿去找你？"

老人的咆哮把一旁的彼得吓了一跳，他马上赶着自己的羊转头逃跑了。"喂，小孩儿，把我的羊也带走，让它们吃些东西！"老人凶神恶煞地喊住了彼得。小羊倌不敢多待一秒，马上一边应着一边把老人的羊也带走了。

“该怎么办是您的事儿。”蒂提的脸上一直波澜不惊，冷冷地应答，“这孩子丢给我时，我也还是个小姑娘，也没人告诉我该怎么办。当时，我和我妈为了她每天忙得团团转，现在，我得外出打工为了自己的人生打拼。您是她最亲的人，怎么安顿她，是您的事儿。但如果她有什么闪失，您也得负起责任……”

她的话音未落，老人已经“噌”地站了起来，怒目圆睁地指着海蒂对蒂提吼道：“带着她，从哪儿来的，滚回到哪儿去！”

其实，蒂提说出刚才那些不讲情面的话也是出于心虚，她也知道，把海蒂抛给风评极差的爷爷是一件不好的事，但除此之外，她毫无办法。一不做二不休，她咬咬牙，狠下心来，顶着老人的怒吼甩下了一句道别：“无论如何只能这么办。再见啦，大叔！再见啦，海蒂！”然后一溜烟地跑下了山去，那脚步快得仿佛生怕老人会追上她，又把海蒂塞给她一样。

她这一走，就剩下老人和海蒂两个人。老人坐回长椅上，一声不吭地吸着烟斗，盯着地面。海蒂却很是高兴，东瞧瞧，西看看，对周围的一切都感到好奇。

终于，爷爷抬起了头，问海蒂：“你现在想做什么？”

“想看看屋里有什么！”海蒂爽快地回答道。

“好吧，跟我进来。”爷爷站起身，领着海蒂朝门口走，又嘱咐她，“把你那包衣服也拿进来吧。”

海蒂抱起自己的衣服包，一蹦一跳地跟着爷爷走进了自己未来的小家。这是一个相当宽敞的房间，不过整个屋子也只有这一个房间。屋里有一张桌子和一把椅子，屋子的一角放着爷爷的床。另一边的屋角放着炉子，上边挂着一口大锅。一面墙上有一扇门，爷爷将它拉开，原来是个壁橱，里面挂着爷爷的一些衣服。壁橱里还有好几层架子，堆放着衬衫、短袜和手帕。另一层摆着盘子、碗筷和杯子。最上面的一层放着面包、熏肉和奶酪。爷爷是把所有家当都放进壁橱里了。海蒂见爷爷把壁橱打开，马上把自己的衣服包也放了进去。她问道："爷爷，我睡哪里啊？"

"喜欢睡哪里就睡哪里。"爷爷回答道。

海蒂马上高兴了起来。她开始环顾四周，给自己找一个满意的地方。最后，她的目光落在了爷爷床边墙上靠着的小梯子上，便立刻爬了上去一探究竟——原来那是个放干草的小阁楼。此刻，干草正散发着阳光晒后留下的清香味道。阁楼的墙上还开了个小小的圆窗，透过小圆窗正好能够俯瞰谷底。

"爷爷，这地方太棒了！我就睡在这儿啦！"海蒂冲着楼下喊道，"我现在就铺床！爷爷，请您拿条床单上来给我铺！"

"好，好。"爷爷在壁橱里翻找了一阵，只翻出一块粗布。等他拿着粗布上楼来，发现海蒂已经用稻草给自己做出一张床垫了，还做了一个有模有样的小枕头。睡在上面正好可以透过小圆窗欣赏外面的风景。

"不错，"爷爷说，"但还得再铺厚点儿。"说着，他又在上面铺了一层厚厚的干草，这样海蒂就不会被硬硬的床板硌到了。

爷爷拿来做床单的粗布太沉了，海蒂一个人提都提不起来。但这样厚的布，尖尖的草茎扎不透，倒也不错。爷孙俩一起把床单铺到了干草上。海蒂手脚麻利地将床单的边掖到床铺底下，让床看起来更加整洁舒服。她若有所思地看了看床，说："爷爷，咱们还忘了件东西。您得给我找个被子呀。”

“可是没有多余的布了，怎么办？”

“没关系，我盖干草也可以。”海蒂说着就要取干草。爷爷连忙拦住了她：“你等一下。”说罢便走下了梯子，从自己床上拿来一个又大又沉的亚麻袋子，走了上来，“这不是比干草好很多吗？”两个人把亚麻袋子铺在了床上，海蒂高兴极了。

“这被子太棒了，多漂亮的床啊！我等不及要钻进去美美地睡一觉了。”她兴高采烈地喊道。

“我认为我们现在应该先吃点东西。”爷爷说。刚才，海蒂一心忙着收拾床铺，把别的事儿忘得一干二净。爷爷这么一说，她才意识到自己饥肠辘辘。早晨出发前，她只就着淡咖啡吃了一片面包，又赶了这么久的路。于是，海蒂毫不犹豫地答道：“好呀！”

“那我们下楼去弄点吃的吧。”爷爷说完，跟着蹦蹦跳跳的海蒂下了阁楼。海蒂看着爷爷走到锅灶前，挪开大锅，换上小锅，在一个圆形三角凳上坐了下来，拉起风箱，把火烧旺起来。小锅很快沸腾了，爷爷用长铁叉叉了一大块奶酪，放在火上来回翻烤，把每面都烤成了金黄色。海蒂看得饶有兴致。忽然，她想到了什么，马上跑到壁橱那里，等爷爷拿着热腾腾的壶和烤好的奶酪来到桌边时，发现桌上已经整齐地摆好了两个盘子、两把餐刀和一块圆面包。

“自己能想到这些，不错，但还是少了点儿东西。”爷爷说。

海蒂看着桌上热腾腾的壶，马上明白过来了，又跑回壁橱，把上面的碗和杯子拿下来，跑回了桌前。

“这就对了，你是个聪明的孩子。但这里只有一把椅子，你坐哪儿呢？”

海蒂马上跑回炉子边，把刚才爷爷做饭时坐的小三角凳拿了过来，坐到上面。

“很好，有的坐了，但这太低了。”爷爷站起来，把自己的椅子摆到三角凳前，往海蒂的碗里倒上羊奶，把羊奶奶酪和面包都放在了椅子上，“现在你有一张新桌子了，坐在凳子上好好吃吧。”

海蒂早就饿坏了，端起碗就把羊奶“咕咚咕咚”地喝得精光。她喝得太快了，连喘口气的工夫都没有，以至于放下碗后还深深吸了一口气。

“好喝吗？”爷爷问。

“我从来没喝过这么好喝的东西！”海蒂高兴地回答。

“那就多喝点。”爷爷又给她倒了满满一碗羊奶。海蒂把奶酪涂到面包上，津津有味地吃起来。

吃过饭，爷爷走到外面开始清理羊圈。海蒂聚精会神地看着爷爷用扫帚清扫羊圈，又铺上干净的稻草，为山羊安置好睡觉的地方。做完这些，爷爷走进小屋旁边的小棚子里，锯下几根圆木棒，用一块木板刨了刨，在上面钻了几个眼，再把木棍插进去，一把椅子就这样做好了。它和爷爷的那把一样，只是座位高了许多。海蒂看着爷爷手脚麻利地做好这一切，惊得说不出话来。

“知道这是什么吗？”爷爷拍拍手上的木屑，问道。

“特地为我做的椅子！您真厉害！”海蒂惊喜地叫道。

“这孩子一看就明白，真伶俐。”爷爷心里念叨着。他开始自己忙活起来，修补小屋子，敲敲钉子，紧紧螺丝。海蒂一直寸步不离地跟在爷爷后面，专心致志地看着爷爷干活，每一件事儿对她来说都非常新奇有趣。

一下午很快过去了，大风怒号起来。令人听了不寒而栗的风声，对海蒂来说却如同美妙的乐曲。她围着杉树蹦蹦跳跳，快活极了，爷爷站在一边，凝视着自己欢呼雀跃的小孙女。

这时，传来了尖锐的口哨，是羊倌彼得来送羊了。海蒂欢呼一声，马上跑进羊群，和她早晨刚结识的朋友们问好。羊儿们走到小屋前，都停止了脚步。只有两只漂亮的山羊，一黑一白，从羊群中蹦出来，跑到了爷爷身边，直舔他的手。原来爷爷的手上有盐，他每天傍晚都会握上一把盐欢迎两只山羊的归来。

彼得赶着其他羊走了。海蒂跑到爷爷的两只羊面前，轻轻抚摸着它们。只要和小动物待在一起，她就快乐得不得了。

爷爷由着海蒂兴奋地围着山羊转来转去，等山羊把自己手中的盐舔完，才对海蒂说："去把你的碗和面包拿来吧。"

海蒂马上拿来了碗和面包。爷爷从白山羊身上挤了满满一碗奶，又掰了块面包递给海蒂说："吃吧，吃完就去睡觉，我得照料羊儿去了，你好好地睡。"

"晚安，爷爷！但是等一下，"海蒂仍恋恋不舍地跟在山羊后面，"我想知道这两只羊的名字。"

“白色的叫‘白菊’，棕色的叫‘棕熊’。”爷爷回答。

“晚安，白菊！晚安，棕熊！”海蒂冲着两只刚进羊圈的山羊愉快地大声喊着。然后，她便坐到小屋外面的椅子上吃起面包，喝起羊奶来。山风太大了，几乎要把幼小的她刮倒。于是，她风卷残云一般把自己的晚饭吃完，马上跑回屋里，爬上梯子，钻进了被窝，不一会儿就进入了梦乡，如同枕在最柔软的云朵上，睡得香甜。

天还没完全黑下来，爷爷也准备上床睡觉了，他每天跟着初升的太阳一起起床。夜里，狂风大作，整个小屋都颤抖起来，屋脊“嘎嘎”作响，风窜进烟囱里疯狂地号叫着，如泣如诉；外面的杉树也随风摇摆，不时传来树枝刮断、掉落在地的声音。半夜时，爷爷坐起身，心想：这孩子会被吓坏的吧。

他爬上梯子，来到海蒂的床边。此时，月亮从乌云后探出头，银白的月光透过墙上的小圆窗，洒在了海蒂的脸上。海蒂盖着厚厚的被子，睡得正香，小脸红扑扑的，枕在圆圆的小胳膊上，别提多可爱了。

爷爷静静地端详着她，直到月亮又躲进云层，屋里再次暗下来，才下楼回到自己的床上。

放牧去

第二天清晨，一声响亮的口哨声叫醒了海蒂。金色的阳光透过窗洞照在干草上，一时间她忘了自己身在何处。直到听见爷爷浑厚的声音，她才反应过来现在自己住在高山牧场上，而不是在乌赛鲁奶奶那里了。那位老奶奶耳朵不好，所以海蒂只能一直待在屋里，好让老奶奶看得见她在哪儿，常觉得憋得慌。现在可好了，这里有这么多有趣的事儿等着她。海蒂从床上一跃而起，飞快地套上衣服，一蹦一跳跑下阁楼，一直冲到屋外。爷爷已经站在那里了，还牵着白菊和棕熊，正准备把它们赶进彼得的羊群里。

“你想和彼得一起去牧场吗？”爷爷问海蒂。海蒂马上欢欣鼓舞地跳了起来，连连说好。

“你先去洗洗脸，这个样子要让人笑话的。”爷爷指着门边一大盆水，吩咐海蒂去洗脸，自己走进屋里，又招呼彼得：“羊司令，带着你的干粮袋进来。”

彼得迷惑地拿着那只装了一点点午饭的干粮袋走进了屋子。爷爷麻利地把一大块面包和一大块奶酪塞进袋子里面，彼得惊讶地瞪大了眼睛，爷爷给的这两样东西比他自己的可大多了。

“把这个碗也带上，那小姑娘可不能像你一样直接趴在羊身上喝奶。到时候用这个碗给她接点羊奶喝。小伙子，她今天就交给你了，晚上负责把她带回来。要好好照顾她，别让她滚下山去。”

这时海蒂跑了进来，得意地说：“我已经把脸洗得很干净啦，保证不会被人笑话。”她用粗布毛巾使劲擦过了脸，把小脸擦得红彤彤的。爷爷忍不住笑着点了点头。“晚上回来也记得要好好洗个澡，最好能像鱼儿一样钻进水里洗个透，可别拖着两条污黑的腿进屋来。好了，你们快出发吧！”

山上风景如画。天空湛蓝，万里无云，灿烂的太阳照耀碧绿的高山牧场，花儿争奇斗艳。纤细的报春花、蓝色的龙胆草、金黄色的沙漠坐莲在阳光下随风摇曳。漫山斑斓的景象让海蒂欣喜若狂，她跑来跑去，把彼得和羊群都忘了个一干二净。她自顾自地跑着、闹着，不时停下来去采摘野花，小心翼翼地放进自己的围裙里，心想着要把它们带回家，插到干草上，那该是多么美丽的一片繁花似锦的景象啊。

她在这边自顾自地玩耍，可忙坏了彼得。今天的彼得恨不能全身都长满了眼睛，山羊也和海蒂一样跑来跑去，他的眼睛根本不够用。他只好一边吹口哨，一边挥舞手里的鞭子，把跑散的羊群往一处赶。

“海蒂，你在哪儿啊？”他又气又急地喊着。

“我在这儿呢。”远处一个小山丘的后面飘来海蒂清脆欢快的回答。山丘上长满了清香的樱草，海蒂从来没有闻过这么美好的气味。她坐到花儿中间，尽情呼吸着野花的芬芳。

“你快过来！”彼得大喊道，“照你这么闹，会掉下山崖去的，我怎么和大叔交代？”

“山崖？哪里是山崖？”海蒂仍然坐在原地一动不动。

“在上面，还要走很长一段路才能到呢，我们快走吧。听到老鹰在叫了吗？它在往那边飞。”

一听这话，海蒂马上跳起来，兜着满满一围裙的花向彼得跑来。

“你的花已经够多了，”彼得带着海蒂继续往山上爬，“不要再采了，否则你总会落在后面。而且，如果你一直没完没了地采，明天不就没有花采了吗？”

海蒂一听，觉得有道理，而且围裙里确实已经装满花了。

她不再乱跑，羊儿们闻到高处牧草的清香，也规矩起来，争先恐后地朝山上跑去。

彼得牧羊的草地一面紧靠陡如刀削的山休，那里怪石嶙峋，寸草不生；另一面则是万丈深渊，是牧场大叔嘱咐彼得要小心的地方。到了这里，彼得把干粮袋小心地放在地面的低洼处，生怕大风把午餐刮下去。然后，他舒舒服服地躺下来，在洒满阳光的草地上伸了个懒腰。爬了许久的山，他可要好好地休息一下。

海蒂解下围裙，把花紧紧地包起来，放在了干粮袋的旁边。她坐到彼得身边，好奇地环顾四周。

脚下的山谷沐浴着晨光，远处的雪峰映着湛蓝的天空。左边是一堆黑色的岩石，两侧则是直插云霄的山峰。四周静悄悄的，只有轻柔的风儿似一双温柔的手，拂过每一朵蓝色、黄色的无名小花，让它们在各自的枝头微笑、摇曳。

彼得已经酣然入睡，羊儿们在灌木丛中钻进钻出，而海蒂的心绪却无法平息。她环顾周围的大山，觉得每一座山都像久未谋面的老朋友一样。突然，传来一声尖利的叫声，她抬头一看，是一只巨大的鸟儿，正在头顶上空展翅高飞，盘旋嘶鸣。

“彼得，你快醒醒，快看啊！”海蒂喊叫起来，“是老鹰！”那巨大的鸟儿越飞越高，消失在了灰色的山岩之后。

“它飞去哪儿啦？”海蒂从未见过这么大的鸟儿，目送着老鹰，激动地问道。

“回窝去了。”彼得懒洋洋地回答。

“它竟然住在那么高的地方！我们去看看吧！”

“不，不行！”彼得马上清醒了过来，大声反对，“那里连山羊都爬不上去，而且大叔叮嘱过我要看紧你！”说罢，他吹了一声响亮的口哨，吆喝山羊们来吃草。海蒂惊喜地看着山羊从四面八方跑来，有的时不时停下来啃食鲜美的青草，有的互相顶着犄角，快乐地嬉戏。

海蒂也跳了起来，跑进羊群中，和羊群一起活蹦乱跳、嬉戏打闹。在她眼里，这些羊儿长得各不一样，每一只都有与众不同的地方。

彼得把午餐从干粮袋里拿出来，他把面包整整齐齐地摆放成一个四方形，两块大的是海蒂的，两块小的是他自己的。他又取出碗来，从白菊身上挤了一碗羊奶，放在一边，喊海蒂过来吃饭。可是海蒂玩儿得正起劲儿，根本听不到。彼得自有办法，他大声地喊着，直到喊得山间回声四起，海蒂才姗姗而来。一看见地上摆着丰盛的午餐，她高兴得手舞足蹈。

“别跳来跳去了，快来吃饭吧。”彼得拍拍身边的草坪，“来，坐这儿吃吧。”

“这奶是给我的吗？”

“是啊，还有那两大块面包和奶酪都是你的。喝完这碗，我再从白菊身上给你挤一碗。然后我再喝。”

“你挤哪只羊的奶喝？”海蒂好奇地问。

“从我的小花身上挤，就是那只带斑纹的。来，吃吧。”彼得催促道。

海蒂端起碗，一饮而尽，彼得又给她挤了一碗奶。海蒂一边喝一边从大面包上掰下一块，把剩下的一大块面包和一口未动的奶酪都递给了彼得，爽快地说：“这些给你吧，我吃不了那么多。”

彼得惊讶地张大了嘴，他从来没得到过这样丰盛的食物，更没有过自己吃不完、要分给别人的经历。他以为海蒂是在和他开玩笑，犹豫着没有伸手。海蒂见他不接，就干脆把食物放到了他的膝盖上。彼得这才相信海蒂是真的在与他分享，他抓起面包和奶酪，重重地点了点头表示感谢，开始和海蒂一起享用他吃过的最丰盛的一顿午餐。

“这些羊儿都叫什么名字，彼得？”海蒂很快吃完了自己的午餐，看着羊群问道。

彼得对这些羊儿再熟悉不过了，马上一边指点着羊群一边如数家珍地报出了一连串名字。海蒂专心致志地听着，很快就能把所有羊的名字都记住了，而且还能区分出它们的样子——她已经留意到了每只羊的特征。每个人都应该认真观察事物，而海蒂就是这样做的。

长着一对结实犄角的山羊叫土耳其大汉，它总用犄角顶其他同伴，因此大多数羊见到它便望风而逃。唯有一只叫金翅雀的山羊伶俐活泼，不仅不害怕土耳其大汉，还经常用尖锐的羊角给予它回击，看上去也是威风凛凛。白菊和棕熊在牧场大叔的悉心照顾下被养得高大、漂亮，在羊群中十分显眼。然而最吸引海蒂的还是那只叫小雪的小白羊，它总是“咩咩”地叫着，楚楚可怜。

小雪又凄楚地叫了起来，海蒂马上跑过去，搂着它的脖子问道：“小雪，你怎么啦？”

“它的妈妈被卖到美茵费尔德去了。”彼得一边嚼着午餐一边替小雪做出了回答。

“可怜的小雪，以后感到难过，就来找我好了。”海蒂温柔地摸了摸小雪的头，小雪也充满感激地叫了两声。

不知不觉，天色已晚，落日将金色的晚霞洒向青草和鲜花，高高的山峰熠熠生辉。海蒂被眼前的美景震撼得一时说不出话来。“啊！彼得，”她突然惊讶地尖叫起来，“着火了，山上着火了！雪峰、天空、老鹰的家，都烧起来了！”

“傍晚时候就是这个样子，”彼得平静地说，“那不是火。”

“那是什么？”

“就自然而然变成那样了嘛。”

海蒂只得到了一个模棱两可的回答。

“快看！群山一下子变成玫瑰色的了，那座有雪的山，还有那座山顶上有岩石的山！彼得，他们都叫什么名字？”

“山是没有名字的。”彼得已经站起了身。

“这景色真美啊，玫瑰色的雪，红色的岩石。”海蒂发出赞叹的声音，接着又嚷了起来，“颜色没了！都变成灰色了！哎呀，这下完了！”她变得沮丧起来，一屁股坐在地上，好像世界末日到来了。

“明天还会这样重新来一次的，”彼得安慰她，“走吧，我们该回去了。”他吹起口哨，把羊儿们聚集在一起，准备踏上归途。

“真的吗？牧场每天都是这样？”海蒂急切地追问道。

“我保证！”为了让她放心，赶快回家去，彼得大声给出了一个无比肯定的答案。

这下海蒂满意了。在回去的路上，她不再言语，因为对她来说，今天收获了太多，值得她去回味、琢磨。快到小茅屋时，海蒂看到爷爷坐在杉树下的长椅上，等着她回家来。她立刻撒腿跑向爷爷，白菊和棕熊也紧随其后。彼得在她身后喊道："再见，海蒂！明天再来啊。"海蒂又马上跑回去和他道别，答应他明天还会去牧羊，她抱住小雪的头，和它说起了亲密的悄悄话："晚安，小雪。明天再见！"

"爷爷，山上太美了！有各种各样的花儿，还有火焰和玫瑰色的石头。"她一边说，一边把围裙里的花儿抖落给爷爷看，没想到，白天娇媚鲜艳的花朵都已经打蔫了。"这是怎么回事！"海蒂大吃一惊，叫了起来，"白天它们还是好好的呢！"

"花儿喜欢在阳光下，不愿意闷在围裙里。"爷爷解释。

"那我再也不采花了。"海蒂认真地说。

"好了，你去盆子里洗一洗，我去给你挤点羊奶，等吃饭的时候，再听你讲今天的故事。"

于是，他们各做各的事儿。海蒂洗完澡后，就坐到昨天爷爷给她刚做成的椅子上，面前已经放着一碗奶。等爷爷也挨着她坐下，她马上迫不及待地开始问问题："爷爷，今天我看到了一只老鹰，它为什么那么尖厉地大叫呢？"

"那是它在讥讽山下村子里的家伙们，那么多人聚集在村子里钩心斗角、尔虞我诈。老鹰就是在嘲讽他们，告诉他们'如果大家各自做好各自的事儿，像我这样住在高山上，会比现在好得多。'"爷爷说话的声音也有些尖厉，海蒂听着，感觉耳边又响起了老鹰的叫声。

“爷爷，为什么山没有名字呢？”

“有啊，你跟我描述山的样子，我就可以告诉你那山的名字。”爷爷答道。

于是，海蒂向爷爷详细地描述了那座有两个高高山尖的山。爷爷听了便高兴地说：“我知道那座山，它叫鹰山。还看见别的山了吗？”

海蒂又跟爷爷描述了那座雪山。爷爷告诉她，那叫大斜面山。

“看来你今天玩得很开心。”

“是啊，爷爷，”海蒂兴高采烈地讲述了今天看到的所有景色，“最棒的就是傍晚时分天空燃烧着的火了。彼得说那不是火，却又没告诉我那是什么。爷爷，那究竟是什么？”

“那是太阳公公在向大山说晚安。”爷爷回答，“下山时，太阳公公会把最绚丽的光芒洒向群山。”

这个回答让海蒂雀跃不已，她已经迫不及待明天再去看一次洒满玫瑰色光芒的群山了。不过，她要先好好休息。

这一整晚，海蒂躺在干草铺成的床垫上，睡得香甜。她做了一个玫瑰色的梦，群山奇光异彩，花儿迎风招展，小雪在碧绿的草地上欢快地跳跃、玩耍。

你好，奶奶

整整一个夏天，海蒂都和彼得一起去牧羊。她的皮肤慢慢被热烈的阳光晒成了棕色，好像山林日光下一颗熟透的浆果，饱满而健康。她整日如一只灵巧的鸟儿，每天围在爷爷身边欢欣雀跃，日子过得轻松愉快。

不知不觉，秋天来了，大风开始呼啸起来。每当秋风猛烈时，爷爷就会让海蒂乖乖待在家里，并说："风这样大，会把你这样的小东西刮下山去的。"

遇上这样的大风天，最闷闷不乐的就是彼得。海蒂不来，他一天的时光都冗长乏味，还失去了丰盛的午餐。没有了海蒂的牧场，羊儿似乎都没那么听话了，好像是想念海蒂似的，总是四处乱窜。彼得要花上比平时多一倍的力气找它们。

海蒂则不同，无论待在哪儿，她都快活得很。上山虽然有意思，和爷爷待在一起也是一件有趣的事儿。她喜欢看爷爷干活儿，尤其是看爷爷做山羊奶酪。那时，爷爷会把袖子挽得高高的，把胳膊伸进一个大大的奶锅里使劲儿搅拌，直到做出美味可口的圆形奶酪。

爷爷家最吸引海蒂的，还是大风天茅屋后那三棵老杉树发出的波涛般的声音。每当这时候，她都会跑到树下，站在那里，仰着头，用心聆听树枝发出的巨大声响，欣赏它们舞动的身姿。再没有比这更动听的声音了。尽管天已转凉，狂风常吹得海蒂摇摇晃晃，但她仍会穿得厚厚的，跑出来看那高高的树梢。

天气越来越冷了，彼得早晨上山时，总把双手放在嘴边呵着热气取暖。不久后，夜里下了一场大雪。早晨，阿鲁姆山银装素裹，白雪皑皑。绿叶都消失了，彼得也就不再上山牧羊了。海蒂透过小圆窗惊奇地向外望去，看到鹅毛大雪纷纷扬扬地飘落，越下越大，在地上越积越厚，渐渐高过了窗台。她和爷爷都被堵在了屋里，可是海蒂却很高兴，甚至天真地希望大雪可以把房子埋住，这样白天也可以点着油灯了。

然而，雪第二天早晨就停了。爷爷走出屋来，用铁锹将屋外的雪都铲走，堆成了一座座小山。下午，海蒂和爷爷坐在火炉旁烤火。这时，门“砰”的一声响，像是有人在踢门。接着，门就被推开了，原来是彼得。他刚才只是想磕掉粘在鞋上的雪。此时的他几乎成了一个雪人，因为在来的路上，他不得不在厚厚的雪里爬行，身上沾满了大块大块的雪，被凛冽的寒风一吹，很快就冻结了。即便是这样，彼得也咬着牙一路勇敢前行，因为他已经一个星期没有见过海蒂了，一定要赶快见到这个活蹦乱跳的小姑娘。

“下午好！”彼得一边说着一边走到火炉旁。他不再说什么，只是微笑着，看着海蒂和爷爷。他身上的积雪经炙热的炉火这么一烤，迅速融化，川流而下，宛如一道道小水瀑，把海蒂看呆了。

“怎么样，羊司令？”爷爷打趣道，“这一阵没有山羊军可带，该啃炭笔了吧？”

“啃炭笔？”海蒂没听说过这个说法，感到十分好奇。

“就是去上学，学读书写字。一到不能放羊的时候，彼得就得上学校去。那可真是个不容易的差事，有时候咬咬炭笔，或许就能想出来怎么做作业，是不是？”

彼得哈哈大笑起来：“的确是这样的。”

海蒂没有上过学，听了这奇妙的说法，马上围着彼得问个不停。彼得本就不善言辞，被她连珠炮地一通问话，更是什么都答不上来了。

“好了，海蒂的火力太猛，羊司令要招架不住了，我们吃点东西，补充点‘弹药’吧。”爷爷招呼海蒂和彼得一起吃晚饭。三个人围在桌前，尽情享受温暖的晚餐。因为海蒂经常在不同地方看爷爷干活儿，爷爷干脆给她做了很多把椅子，现在屋里也变得挤了起来。爷爷分给彼得一个圆圆的大面包。彼得惊喜地睁大了眼，他已经一个星期没有这样饱餐一顿了。自从结识了海蒂这个新朋友，他总能遇到惊喜。

天色渐渐暗了下来，彼得准备动身回家了。“谢谢你们的晚餐，”他又看向海蒂说，“下个星期天我会再来，奶奶说请你什么时候也到我们那儿去玩儿。”

去别人家做客对海蒂来说也是新鲜事儿，她对这个许诺念念不忘。第二天一大早，她就跟爷爷说：“今天我得去彼得家，他的奶奶在等我呢。”

“雪太厚了。”爷爷回绝了她。可这想法已经在海蒂心里扎了根，她每天都要说上五六遍：“爷爷，我得去彼得家，他的奶奶在等着我呢。”

到了第四天，屋外的雪冻得又硬又脆，人走在上面，脚下就发出“咯吱咯吱”的响声。海蒂坐在椅子上吃早餐，再一次提起了彼得的奶奶。

这次，爷爷同意了，“那咱们今天就去吧。”他把海蒂当被子盖的亚麻袋子取了下来，“我们走吧。”

海蒂心花怒放，兴高采烈地跟着爷爷走出了屋子，来到了一片银光灿灿的世界。老杉树的树枝被积雪压弯了腰，在阳光下闪闪发光。海蒂被这美丽的景象吸引了，连声喊着：“爷爷，杉树都变成银色的了，在一闪一闪的呢！”

这时，爷爷已经从羊圈里拖出了一个很大的雪橇，雪橇的侧面有扶柄，座位平平的，腿平伸出去就可以触到雪地，以此来掌控方向。

海蒂仍在不停地跑来跑去，叫着喊着。爷爷只好先过去陪她绕着银装素裹的杉树看了一圈，然后坐上雪橇，把她抱到膝盖上，又用亚麻袋子把她的身体团团包住，让她不会感到寒冷。爷爷左手抱着海蒂，右手抓着扶柄，两脚一蹬地面，雪橇便像离弦之箭冲下山去了。海蒂觉得自己宛如小鸟在空中飞翔，忍不住高声欢呼起来。雪橇在彼得的家门前猛地停下来，爷爷把海蒂抱到地上，解开裹着她的袋子说道："好了，进去吧，天快黑时就动身回家。"说罢，爷爷调转方向，拉着雪橇向山上走去。

海蒂推开门走进屋，只见里面是小小的厨房，有一个炉灶和一个碗架。再推开门，是一个不太宽敞的房间，比起爷爷那个有干草阁楼的大房子，彼得的家显得又小又窄，破败不堪。

一个女人正坐在桌旁缝补衣服，海蒂一眼就认出那是彼得的上衣。屋子的角落坐着一个驼背老奶奶，正在纺线。海蒂马上跑过去对奶奶说："奶奶，您好！我终于来看您了！"

老奶奶抬起头，摸索着抓住了海蒂的手，若有所思地抚摸了一会儿，才说："你是牧场大叔那儿的海蒂吗？"

"是我呀，奶奶。"海蒂高兴地回答，"是爷爷用雪橇送我来的。"

"没想到你的小手还这样热乎呢。布丽奇，真的是牧场大叔把海蒂送来的吗？"

彼得的妈妈忙放下手里的针线活走了过来，看了看海蒂，回答道："我也不知道，听起来不太可能，是这孩子弄错了吧。"

"我没弄错，是爷爷亲自把我送过来的。"海蒂直直地盯着布丽奇的眼睛说道。

"这么说，彼得讲的牧场大叔的事儿都是真的了，我以为是他弄错了，"老奶奶说，"真没想到。我一开始以为这孩子肯定在山上待不了三个星期。布丽奇，这孩子长得什么样？"

"很小巧，像她妈妈，"布丽奇一边打量着海蒂一边回答，"不过眼睛是黑色的，头发是卷的，这跟托拜厄斯和山上那老头是一模一样的。"

她们二人说话的当儿，海蒂已经仔仔细细地把握里观察个遍："奶奶，那儿有块窗户板松了，要是我爷爷看见了，一定会马上用钉子给钉牢的。不然，玻璃就容易被打碎了。看，它已经晃得很厉害了。"

"真是个好孩子，"奶奶说，"我的眼睛看不见，可耳朵不背，这个屋子四处漏风，吹得整个房子嘎吱作响，仿佛要散架了。他们母子俩睡觉的时候，我常一个人听得心惊胆。可是也只能这样担惊受怕了，因为没人能帮我们，彼得也还小。"

"奶奶，您为什么看不见窗户板？是因为屋里太暗了吗？我把这屋子的窗户板都打开吧。"说罢，海蒂就要去开窗户。

"那也不行的，孩子，光线明暗对我没有帮助。"

"我带您到外面去，到白茫茫的雪地里去，您一定就都看见了。走吧。"海蒂拉着奶奶，想把她带到外面去。

"好孩子，不要管我了，在哪里我都是看不见的，我的眼前永远是黑暗。"

“夏天也看不见吗？夏天的太阳把山都照得红彤彤的，那样您都看不见吗？”海蒂着急起来。

“好孩子，无论怎样，我都看不见了。”

“无论如何都看不见吗？没有人有办法吗？”海蒂终于大哭起来。老奶奶搂着她，说了许多安慰的话，可海蒂依然止不住哭泣。她就是这样一个善良的孩子。

暖　冬

海蒂一直在放声大哭，她不是一个爱哭的孩子，但一旦哭起来就不可收拾。奶奶看她这样伤心，很是担心，马上说道：“过来，海蒂宝贝，上奶奶这儿来。听奶奶说，虽然我的眼睛看不见，但我的耳朵灵得很。一个人看不见了，就会更愿意听到声音。奶奶最爱听你的声音了，快过来坐到奶奶旁边，好好讲讲你和爷爷在山上的事儿。我以前和你爷爷很熟，但很多年没有听过他的消息了。偶尔才能从彼得那里听来一点儿，但他讲得也不多。”

听了这话，海蒂马上停止了哭泣。提起爷爷，她又有了一线希望。“奶奶，您再等一等，我回去会把这里的事儿都告诉爷爷，他肯定会让您重新看见的，还能把房子修好。这世界上没有什么他做不到的事儿！”

奶奶没有接话。海蒂便兴致勃勃地把自己和爷爷在山上生活的各种趣事讲给奶奶听，包括她在盛夏和寒冬所做的一切。她满怀崇拜地讲述爷爷是如何聪明，能用木头做出各种东西——长凳、椅子、山羊的食槽、洗澡盆和奶碗，甚至还有勺子。从她的讲述里，奶奶听得出她对爷爷干活的过程观察得细致入微。

“没想到牧场大叔会做这些。”奶奶对布丽奇说。

“希望有一天我也能做出这些来！”海蒂的眼睛亮晶晶的。

这时，只听“砰”的一声，门被撞开了，彼得风风火火地跑了进来，看到海蒂，冲她咧嘴一笑。

“怎么回事？放学回来了？”老奶奶问道，“这些年的下午从没像今天这样快地过去，小彼得，是你回来了吗？书念得怎么样了？”

“还是老样子呗。”彼得回答。

“是吗？”奶奶叹了口气，“我以为日子长了，你会有长进呢。”

“奶奶，您说什么长进？”海蒂好奇地问。

“我是说他至少得学会读点儿什么了，”奶奶说，“架子上面有本旧祈祷书，里面有些赞美诗很美，我好久没听过了，一直盼着彼得能念给我听，但他就是学不会。”

“我得点灯了，”一直在旁边专心致志缝衣服的彼得妈妈站了起来，“下午的时间过得真快，天都快黑了。”

海蒂听了，也立刻从椅子上蹦了下来，“天快黑了，我得赶紧回去了！再见，奶奶！”她一边跟大家道别，一边向门口跑去。

奶奶不放心地说：“海蒂，别一个人走，让彼得送你去！彼得，别让海蒂摔着，还有，不要在路上停留，一停就会感冒的。海蒂有取暖的外套吗？”

“没有，”海蒂回头喊道，“但我肯定不会感冒的！”说完，她一溜烟儿地跑走了，连彼得都追赶不上。

“布丽奇，快拿着我的披肩追上去。天这么冷，她会被冻死的！”奶奶焦急地喊道。

布丽奇马上拿着披肩追了出去。可是，海蒂和彼得刚走了几步，就看见爷爷从山上下来了。他大步流星走到他们面前：“不错，海蒂，很听话！”说罢就用袋子把海蒂紧紧裹住，抱起来，向山上走去。布丽奇正好目睹了这一切，她和彼得回到屋里，惊奇地把刚才看见的情景说给了奶奶听。

“谢天谢地，他居然能待那孩子这样好！”奶奶也很吃惊，“希望牧场大叔能再让这孩子下来看看我，她真能给我带来不少快乐，这孩子的心多善良啊，说话也有意思。”那天晚上，奶奶兴致很高，一直在夸海蒂的好，布丽奇一直应和着。彼得则骄傲地说：“我早跟你们说过，海蒂是个小太阳！”

在回家的路上，海蒂裹在亚麻袋子里，一直兴奋地和爷爷说着她在彼得家的事儿，可是爷爷根本听不清她在嘟囔什么：“等回家你再和我说吧！”

回到小屋以后，爷爷刚把袋子从海蒂身上解下来，海蒂就急急忙忙地说道：“爷爷，我们明天必须去彼得家，把他家的房子修牢固！”

“必须？谁说的必须？”爷爷问。

“没有谁说，是我自己想到的。爷爷，彼得家的窗子、门都松松垮垮的，实在太危险了。彼得的奶奶眼睛看不见，每天晚上都听着房子嘎吱作响的声音担惊受怕得睡不着觉。爷爷，您一定有办法帮他们的！除了您，没有人能帮他们了！”她紧紧地搂着爷爷。

爷爷看着海蒂的小脸和像星星一样闪烁的眼睛，沉默了几秒，说："好吧，明天下午我们就去他家帮忙修屋子。"

海蒂见爷爷答应了，马上高兴地绕着房子欢呼起来："明天就修咯！明天就修咯！"

爷爷说话算话，第二天下午，他们就坐着雪橇滑下了山。到了彼得家门口，爷爷把海蒂放下，说："快进去吧，天黑就回家。"说罢，把袋子往雪橇上一放，就拉着雪橇绕到屋子另一边，不见了。

海蒂刚跨进屋门，老奶奶就在屋角叫起来："她来了，她来了！"她高兴地放下纱线，停下纺车，伸手迎接海蒂。海蒂跑过去，拿了一张小凳子，紧挨着奶奶坐下，叽里呱啦地聊了起来，逗得奶奶不时发出慈祥的笑声。

突然，从房子上传来了猛烈的敲击声，奶奶吓得差点撞倒了纺车，她颤抖地说："这下房子是真的要塌了！"

海蒂赶紧抓住老奶奶的手，安慰道："奶奶别怕，那是爷爷用锤子钉钉子的声音，他会把所有东西都修好的，这样您就再也不用担惊受怕了。"

"真的吗，布丽奇，你听见了吗？是锤子声！快去看看谁在外面帮咱们，如果真是牧场大叔，就快请他进来，我要好好谢谢他。"

屋外当然就是牧场大叔，布丽奇走出来，正见他在用力往墙上钉一块楔形木板。布丽奇走上前去说道："大叔，您这样帮我们，我和母亲都非常感激。我母亲想请您进屋坐坐，当面向您道谢……"

"够了！"她的话还没说完，就被牧场大叔粗鲁地打断了，"你们怎么看我这个老头儿，我心里一清二楚。进屋去吧！哪儿坏了我能看得出来。"

布丽奇也不想和大叔唱反调，什么也没说就回到屋里去了。大叔围着屋子不停敲敲打打，又爬上屋顶，把带来的钉子一枚枚钉上去，把漏洞一个个补好。

不知不觉天色暗了下来，爷爷从屋顶下来，从羊圈里拉出了雪橇。这时，海蒂也正好从屋里出来了。爷爷一手拉着雪橇，一手抱着海蒂，爷孙俩就这样回家去了。爷爷的手臂让海蒂感到无比的安全和温暖。

冬天就这样一天天过去了，海蒂的一次次到访，让双目失明的奶奶感到日子不再黑暗漫长，充满了新的欢乐和希望。每次海蒂来到她身边，都有说不完的趣事，常让奶奶听得忘记了时间的流逝。以前，她总会问布丽奇："天还没黑吧？"现在，她却经常问："布丽奇，白天怎么过得这样快？"布丽奇也有同样的感觉。好像刚刚才收拾好午饭的桌布，下午就一眨眼过去了。

奶奶总是祈祷："但愿那孩子幸福平安，牧场大叔一切顺心。"她还经常问布丽奇，海蒂的气色如何。布丽奇总会笑着回答："那孩子的脸像一个红苹果。"

海蒂也越来越喜欢彼得的奶奶了。当她终于明白奶奶已经再也看不见时，十分伤心。但奶奶告诉她，只要海蒂在身边，自己就并不觉得黑暗。整个冬天，只要天气好，海蒂都会坐着爷爷的雪橇下山来看奶奶。爷爷也总会带上锤子、钉子等工具。就这样，爷爷把小房子彻底修了一遍，老奶奶夜里睡觉时，再也没有为了嘎吱嘎吱的响声而担惊受怕过。海蒂的存在，让彼得一家度过了一个温馨、热闹的暖冬。

在法兰克福的新生活 

两位不速之客

高山牧场上的日子如白驹过隙，不知不觉，两个春秋在平静祥和的生活中转瞬即逝，这一年的冬天也马上就要结束了。海蒂最盼望的季节就是春天。温暖的春风把杉树吹得婆娑摇曳，声音是那样温柔。等漫山野花又竞相开放时，放牧的日子就会开始。那对海蒂来说是世界上最美好的时光。

海蒂已经七岁了。她跟着爷爷学会了许多农活儿。但旁人显然不支持她一直学放牧——这个冬天里，彼得已经两次捎来德芙里村校长的口信，让牧场大叔一定要把海蒂送去上学。其实，海蒂去年冬天就该入学了。但每次牧场大叔都让彼得回话说，他并不打算送海蒂上学，校长要是有心，就该亲自到家里来。

伴着三月和煦的阳光和初绽的雪莲花，春天终于来了。海蒂兴奋地在小屋、羊圈和杉树之间跑来跑去，时不时向爷爷汇报自己对大自然的新发现。这天早晨，她又像往常一样进进出出地玩耍。当她再次跳出小屋的门槛时，猛然看见一个老人站在门口。他身穿黑衣，面色严肃，看得海蒂有点儿害怕。老人看到海蒂，倒换上了和颜悦色的表情，温和地说：“你好，你就是海蒂吧？我是来找你爷爷的，他在哪儿？”

“他在屋内做木勺子呢。”海蒂边说边将他领了进去。

来的人是德芙里村的老牧师，多年前牧场大叔还住在村里的时候，两个人是邻居。“早上好，老朋友！”牧师进了屋，走到爷爷跟前说道。

牧场大叔惊讶地抬起头，站起身答道：“早上好，牧师！”然后拉出一把椅子，说：“快请坐吧。”

“好久没见到您了，我今天来是想和您商量一件事儿。”牧师坐下说，“我想您应该能猜到。”说罢，他望了望站在门口的海蒂。小姑娘也正好奇地打量着这个陌生人。

“海蒂，去山羊那边看看，”爷爷说，“给它们喂点儿盐，在那儿等着我。”

海蒂很听话地马上走了出去。

“就是这小姑娘上学的事儿，这孩子一年前就该上学了，今年冬天说什么也得去了。”牧师继续说道，“老师提醒过您，可您也置若罔闻。您究竟对这孩子有什么打算呢？”

“我不打算送她去上学。”

牧师吃惊地看着大叔。大叔抱着双臂，表情坚决又淡然。

“那您打算让她以后怎么办？”牧师问道。

“没什么想法，就让她和山羊、小鸟一起健康地长大，这样她就不会染上坏毛病，还会过得非常快乐。”

“是的，这样不会学坏，可也学不到知识啊。她不是山羊、小鸟，是个孩子啊！对她来说，现在学已经够晚的了！我完全是出于好意，请您这个夏天好好考虑，今年冬天她无论如何得去上学。”

“我不会让她去的。”爷爷固执地说。

“您怎么这样糊涂呢？”牧师有点儿生气了，“您走南闯北，见多识广。我还以为您是最明事理的人。”

“没错，”大叔强压怒火说道，“牧师，你觉得我会让海蒂在大冬天寒风刺骨的早晨一个人走上两个小时，就为了下山去上学吗？晚上她还要顶着狂风暴雪摸黑回来，冬天的山风猛烈得连我们大人都站不住脚，更何况这么一个孩子！还记得这孩子的妈妈吧。这孩子累坏了，也可能会得上她妈妈的那种病。如果谁要再逼我送她去上学，那就法庭见，我不怕打官司！”

“您说得很对。”牧师听了这一席话，稍稍缓和了态度，“从这儿送孩子去上学，确实不方便。看得出来，您很疼爱这个孩子。那么您能不能为了她，搬回德芙里村呢？您早就该搬回去住了。一个人住在这山上，我很难想象您冬天是怎么过的，这孩子又是怎么熬过来的！”

“我和这孩子都过得很好。”牧场大叔回答道，“我屋里有的是过冬的干粮和木柴，我可不打算搬回德芙里住——我和村里人是互相看不起，彼此隔开对大家都有好处。”

牧师摇了摇头，诚恳地说：“我清楚您的顾虑。但请相信我，村里人对您的看法并不像您以为的那么糟。只要您搬回德芙里村，就会明白了。您在那儿会生活得很好的！”他继而站起身，向大叔伸出手，诚恳地说：“老朋友，我期待着今年冬天您会回到山下，回到我们中间来。我不希望事情发展到必须逼迫您妥协的地步。来，咱们握个手算作约定，您会下山和我们一起住，大家和睦相处，对吗？”

牧场大叔伸手同他握了握，坚定地说：“我知道你的好意，但我还是要肯定地对你说，我是不会送孩子上学，也不会搬回德芙里住的！”

“既然您坚持，我也无能为力了。”牧师说完，悲伤地走出屋子，下山去了。

牧师走后，牧场大叔的心情变得很糟。这天吃过饭，海蒂像往常一样说：“咱们该去奶奶家了。”他只斩钉截铁地答道：“今天不行。”之后的一整天都没再说过一句话。第二天早上，海蒂又提起要去奶奶家，爷爷只冷淡地说了句：“再说吧。”

然而事情还没有完，吃过午饭，盘子都还没来得及收拾好，家里又来了一位客人，这次是蒂提姨妈。她头戴一顶漂亮的帽子，身穿一条花花绿绿的连衣裙，走起路来直扫地面，和这间茅屋极不相称。

牧场大叔上上下下打量着她，一言不发。而蒂提姨妈好像很儿高兴，张口就滔滔不绝地说开了：“海蒂看上去好极了，我差点儿没认出来，您照顾得真好！其实我一直打算把海蒂接走的，两年前我实在是没办法，才把她送来麻烦您一阵儿。从那时起，我就一直琢磨着给她找个好人家，今天我来，就是为了这个事儿。我听到了一个好消息，这对海蒂来说可是一个千载难逢的好机会。我工作的那家主人有个非常富有的亲戚，住的房子差不多是全法兰克福最漂亮的。但他们家唯一的女儿半身不遂，整天坐在轮椅里，所有的课程都是一个家庭教师给她单

独上的，日子孤单又乏味，她很想家里能有个玩伴。这家人在我主人家提起了这件事儿，说想找一个纯真朴实、没被宠坏又不能太普通的孩子，和他们的女儿生活在一起，给她做伴。我一下子就想到了海蒂，赶紧去找了他们的女管家，把海蒂的情况通通告诉了她，女管家一听就答应了！真是太好了！海蒂真是个好命的姑娘！还有，要是他们喜欢海蒂，而自己的女儿万一有个什么三长两短——这事儿真有可能发生——那样的话，也许就会……”

“你还有完没完？”这时，一直沉默不语的爷爷打断了她。

蒂提见大叔凶巴巴的表情，不满地皱起了眉头：“听听您的口气！换了谁听到这样的消息，不会感恩戴德呢？您居然还盛气凌人的。”

“那就告诉他们去，我不感兴趣。”大叔冷冰冰地说道。

蒂提一听，马上跳了起来，怒气冲冲地说道：“大叔，海蒂已经八岁了。德芙里村的人都告诉我了，说你不让她上学。这孩子现在有望过上好日子，你居然还要反对。这可是你的亲孙女！我告诉你，我不会撒手不管的，全德芙里的人都会站在我这一边！要是你不想打官司的话，就好好考虑考虑！如果非逼我的话，我就在法庭上把你那些陈年旧事都抖搂出来，可别怪我无情！”

“够了！”老人吼道，怒目圆睁，“那就带走她，毁了她吧！不要再把她送到我这儿来了！”说完，就大步走出屋子。

“你惹爷爷生气了。”一直站在一旁的海蒂不友好地看了蒂提一眼。

“他会消气的，来，跟我走吧。”姨妈催促着，“你的衣服呢？”

“我哪儿也不去。”海蒂噘着嘴说。

“别说蠢话！”姨妈训斥道，但她眼珠一转，马上又换了一种口气，劝说道：“你还不懂，你以后的生活会有多么好。”

然后，她走到壁橱那儿，翻出海蒂的衣服，麻利地打成一个包裹。“戴上帽子，快，我们马上就走！”

“我不走。”海蒂重重地重复道。

“真是跟山羊一样又傻又犟！”蒂提又厉声说道，“爷爷刚才不是很生气，说再也不想看见咱们了吗？他希望你跟我走，你最好照办。傻孩子，你想象不出法兰克福有多好。退一万步讲，就算你不喜欢，还可以再回来呀！到那时，爷爷的气也消了。”

“那我今天晚上就能回来吗？”海蒂问道。

“那可不行！今天我们必须赶到美茵费尔德——明天要坐火车。以后你要回来，也可以坐火车，一眨眼就到了，像飞一样。你困在这儿可想象不出火车来。”

说完，蒂提姨妈就一手硬拉着海蒂，一手夹着衣服包裹，下山去了。路上还经过了彼得家的小屋，彼得在门口看到蒂提和海蒂，心里一惊，忙追着海蒂问：“你要去哪儿？”

“我和蒂提姑妈去法兰克福一趟！”海蒂天真地回头喊道，她问蒂提：“我能不能再去看看彼得的奶奶？这两天都没去看她呢。”

“不行，我们会错过火车的！”蒂提强硬地说。

这边，彼得心里也大概猜出了几分，马上跑回自己家去，把干粮袋重重地摔在桌上，生气地大喊道：“海蒂被带走了！”

奶奶听了，也着急了起来——她上午就听布丽奇说，看到蒂提上山找大叔去了，现在听到彼得说这话，她也明白发生了什么。可是，这又有什么办法呢？奶奶只能对着门外大喊："蒂提，等等！别把孩子带走！"

蒂提听了这话，走得更快了。海蒂也听到奶奶在叫自己，急得就要往回跑。蒂提马上拽住了她："我向你保证，我们这次就是去法兰克福玩几天，给彼得奶奶也买点又香又软的白面包，你忍心看奶奶在这里一直啃又硬又难吃的黑面包吗？"

"白面包？"海蒂马上高兴起来，"好，就这么办，去法兰克福买多多的白面包，然后就回来！"想到这里，她快速往前跑去，连蒂提都快追不上了。等她们回到德芙里村时，街坊四邻都同情地看着海蒂说："这孩子终于从牧场大叔那里逃出来了！"

海蒂就这样被蒂提哄去了法兰克福。从那以后，牧场大叔变得更加沉默了。村里人看到海蒂走了，都以为她是受不了牧场大叔的虐待，对他也更加疏远了。有时，牧场大叔下山来，穿过村子到山谷去用奶酪换面包和肉，村民遇到他都躲得远远的。

只有彼得的奶奶站在牧场大叔这一边。只要有人去她家请她纺线或取纺织品，她都会说起牧场大叔把那孩子照顾得有多好，还讲述了大叔帮她们修好房子的事儿。这些话在德芙里村传开了，可村里人都不相信，都说老奶奶上了年纪，眼瞎耳背的，一定是老糊涂了。

牧场大叔再也没去过彼得家，不过他早已把房子修理得很牢固了，这样彼得一家也再不怕暴风雪了。然而，海蒂走后，奶奶的日子又变得度日如年，她每天都长吁短叹，经常伤心地说："真想再听听海蒂的声音，哪怕一次也好啊！"

在法兰克福学规矩

海蒂要去的那户人家是法兰克福的有钱人，主人是赛斯曼先生。他的独生女儿克拉拉温柔可爱，有一双漂亮的蓝眼睛，然而，这个可怜的孩子却身患残疾，只能整天坐在轮椅上被推来推去。在她母亲早早过世后，她的父亲就雇了罗藤梅尔小姐做他们的管家，负责照看克拉拉，并管理所有的仆人。这位小姐很有威信，却很难相处。赛斯曼先生大部分时间都在外奔忙，因此把整个家都交给她打理，但有一个条件，就是任何事情都不能违背克拉拉的意愿。

海蒂要来的那个傍晚，克拉拉与往常一样待在温馨舒适的书房里。女管家正端端正正地坐在小小的工作台前忙着刺绣。她身穿一件高领短上衣，头戴一顶无檐帽，样子看上去很古怪。

“她们怎么到现在还没到？”克拉拉不耐烦地问道。

此时，蒂提正牵着海蒂到达赛斯曼家的前门口，她们已经迟到了。蒂提战战兢兢地按了门铃。

不一会儿，一个穿戴整洁的男仆急急忙忙地从石阶上跑下来。他衣服上的扣子和他的眼睛一样又大又圆。

“您好，我们是来见罗藤梅尔小姐的。”蒂提恭敬地说道。

“这不归我管，”男仆冷冷地回答，“你按那个门铃，叫蒂奈特吧。”说完就马上走开了。

蒂提又按了一次门铃，这时，出现了一个头戴雪白帽子的女仆，她的脸上挂着一副和男仆一样轻蔑的神情。“什么事？”她一步也没动，站在石阶上问话，态度十分傲慢。蒂提重复了来意，女仆转身就走了，可很快又回来说："怎么才来？等你们好久了！"于是，蒂提和海蒂一起跟着女仆走进了克拉拉所在的书房。蒂提拘谨地站在门口，紧紧攥着海蒂的手，生怕她在这个威严的地方惹祸。

罗藤梅尔小姐慢慢地从椅子上站起身，走到她们跟前，仔细地审视着海蒂——这小姑娘穿着一件皱巴巴的棉外套，戴着一顶变了形的旧帽子，正睁大着眼睛，仰望着她头上那抢眼的头饰，小脸上写满了惊讶。

"你叫什么名字？"罗藤梅尔小姐打量了她好一阵子，觉得不太满意，傲慢地问道。

"海蒂。"孩子用清脆的声音回答。

"我问的是你的大名。"罗藤梅尔小姐翻了个白眼，接着问。

"不记得了。"海蒂回答。

"这叫什么话！"罗藤梅尔小姐生气地瞪着蒂提，"这孩子是脑子笨还是不讲礼貌啊？"

"夫人，抱歉抱歉，这孩子没见过生人。"蒂提边慌张地回答，边带着责怪轻轻捅了捅海蒂，"这孩子绝不是不讲礼貌，只是不知道该怎么回答才好。她是第一次来到大户人家，还不懂规矩。但她聪明肯学，请您多担待她，多给她一点儿时间。她的大名是阿尔菲特。"

"嗯，这个名字还差不多。"罗藤梅尔小姐说，"可是，这孩子看上去也太小了。小姐的同伴要和她年龄相仿的，这样才能真正玩儿到一块儿。克拉拉小姐今年十二岁了，这孩子呢，有多大？”

蒂提知道她会这么问，因此早有准备，她不假思索地脱口而出：“夫人，这孩子大概有十岁了。”

“我快八岁了，爷爷告诉我的。”海蒂说得清清楚楚。蒂提又着急地捅了捅她，可海蒂根本没意识到自己说错了话。

“还不到八岁？”罗藤梅尔小姐叫了起来。“至少小四岁！蒂提，你居然带来了一个这么小的孩子！”然后，她转向海蒂，问道：“那你上课用什么课本？”

“没有课本。”海蒂说。

“那你是怎么学的朗读？”

“没学过，彼得也没学过。”海蒂说。

“我的天，这么大了还不识字！”罗藤梅尔小姐吃惊地嚷道，“这太不可思议了！那你都学了些什么？”

“什么也没学过。”海蒂老老实实地回答。

罗藤梅尔小姐花了很长时间才重新平静下来，无奈地看着蒂提:“我真搞不懂你怎么能把这样一个孩子带来，她根本不行。”

可蒂提不想放弃，她壮着胆子说：“夫人，实在对不起，可她是最适合的人选。您说要一个与众不同的孩子，年纪大一点儿的孩子都非常相似，只有海蒂是最特别的。现在我必须告辞了，女主人还在等着我呢。海蒂就先留在这里，您可以再观察几天，看看她适不适合。”说完，蒂提行了个屈膝礼，马上疾步离去了。罗藤梅尔小姐愣了一会儿才回过神来，连忙跟着追了出去。

海蒂一直站在原地，没有动。克拉拉也一直一声不吭地坐在轮椅里，这时，她才招呼海蒂过去。

“你喜欢别人叫你海蒂还是阿尔菲特？”

“海蒂，爷爷和彼得都那么叫我，那才是我的名字。”海蒂回答道。

“那我也这么叫你吧。这个名字有点儿怪，不过挺适合你的。之前，我从没见过像你这样的孩子。你的头发一直这样卷吗？”

“是的！”海蒂高兴地回答。

“你喜欢这里吗？”

“不喜欢。我明天就回家，给奶奶带些好吃的白面包。”

“你真有意思！知道吗，他们带你来法兰克福就是让你给我做伴的。你不识字，那我们上课的时候一定很有趣！我一个人上课无聊透了。家庭教师厄歇尔先生每天都来，从上午十点一直教到下午两点，时间真是太长了！连老师自己都经常打哈欠。罗藤梅尔小姐在旁边也经常掏出手绢捂在脸上，偷偷打瞌睡。他们这样搞得我也特别想睡觉，可我只能忍着。因为罗藤梅尔小姐一看到我犯困，就会认为我身子虚，就会马上拿难吃的鱼肝油让我吃。现在你来了，接下来肯定会有意思得多。”

海蒂疑惑地摇了摇头。

“海蒂，你肯定是要学会识字的啊，谁都得会。”克拉拉接着说，“放心，厄歇尔先生很有耐心，从来不发脾气。刚开始，你可能听不懂他讲的东西，但你只要一直努力地听讲，很快就会听懂他在讲什么了。”

这时，罗藤梅尔小姐一脸恼火地回到了书房。她没追上蒂提，也不知道该如何安排海蒂，只能焦躁地在书房与餐厅之间来回踱步。此时的餐厅里，塞巴斯迪刚刚摆好餐桌，罗藤梅尔小姐看到他，马上把气撒到了他的身上："别磨磨蹭蹭的，快让大家来吃饭！"接着，她又板着脸吩咐蒂奈特："把新来孩子的房间收拾出来，掸掸家具上的灰。"

"这活儿真有干头！"蒂奈特用讽刺的语气撇下一句，没好气地走了出去。

塞巴斯迪挨了训斥，却对罗腾梅尔小姐敢怒不敢言，只能无精打采地走进书房，推克拉拉去餐厅吃饭。正当他把轮椅后面的把手扶正时，发现海蒂正目不转睛地盯着自己看。他烦躁地嚷道："喂，看什么看？"

"你很像彼得。"海蒂答道。刚巧，罗藤梅尔小姐走了进来。听到海蒂的回答，她不满地叹了口气，小声嘀咕："怎么能这样跟仆人说话？真是一点儿基本礼仪都没有。"

塞巴斯迪把克拉拉抱到椅子上。罗藤梅尔小姐坐到克拉拉身旁，示意海蒂坐到对面的位子上。大大的餐桌上就只坐了她们三个。海蒂看到自己的碟子旁边放着一个漂亮的白面包，高兴极了，眼睛都闪闪发亮起来，但她仍按捺着喜悦，一动也不敢动。直到长得像彼得的塞巴斯迪捧着托盘走来给她送煎鱼，她才大着胆子，指着面包问："这个可以给我吗？"

塞巴斯迪感到莫名其妙，迟疑地点了点头。这一刹那，海蒂马上抓起面包，塞进了自己的口袋。塞巴斯迪被她的行为逗得想要发笑，却又不敢表现出来，只能强忍着笑意。海蒂抬头看了看他，惊奇地问："啊，你手里端的东西我也可以吃吗？"塞巴斯迪憋着笑，又点了点头。

"那就给我一些吧！"海蒂高兴地举起了自己的碟子。

“你把盘子放到桌上，待会儿再过来。”忍无可忍的罗藤梅尔小姐严厉地命令塞巴斯迪先出去。

“阿尔菲特，我必须从头开始好好教你规矩了！”罗藤梅尔小姐无奈地说道，“首先，我要教你餐桌礼仪。”她详尽地给海蒂示范了一遍。“你特别要记住，除非你有什么吩咐或者非问不可的问题，否则用餐时不许和塞巴斯迪说话，更不要再用对家人、朋友的语调。永远也不许再称他‘你’，只能称‘您’或者‘他’。至于我，你像其他人那样叫我‘夫人’就行了。怎么称呼克拉拉小姐，由小姐来决定。”

“当然是叫我克拉拉了。”克拉拉爽快地说。

接着，罗藤梅尔小姐又口若悬河地讲了一大堆日常举止的礼节，从起床、睡觉、上课讲到进出门、保持整洁、关门等。可是海蒂早上五点就起床了，又奔波了一整天，早就疲惫不堪，听着听着，就打起了瞌睡。

过了好久，罗藤梅尔小姐终于结束了说教。“好了，阿尔菲特！现在你都听明白了吗？”

“海蒂早就睡着了。”克拉拉笑着说。她很久都没有吃过这么有意思的晚餐了。

“我的天，这孩子真匪夷所思！”罗藤梅尔小姐无话可说，气急败坏地使劲按响门铃，蒂奈特和塞巴斯迪两人急匆匆地跑了进来，差点儿将对方撞倒。可即便是这么大的动静，也没能吵醒海蒂。他们两个人费了好大的劲儿才把海蒂叫醒，毕竟，她的卧室在离餐厅很远的地方，要经过书房、克拉拉的卧室和罗藤梅尔小姐的起居室，要把她带回她的房间可不是容易的事儿。

热闹的新生活

第二天一早，海蒂醒来，一点儿都想不起前一天发生的事情，她环顾四周，也搞不清自己身在何处。她使劲揉了揉眼睛，发现自己坐在一张白色的大床上，眼前是个十分宽敞的房间。窗户上挂着长长的白色窗帘，床边放着两把大软椅，靠墙放着一张沙发，上面绣着花朵图案。沙发前面摆着一张桌子。屋角有一个盥洗盆，上面摆放着一些她从来没有见过的东西。

终于，她猛然记起了自己是在法兰克福，回忆起了昨天发生的一切，特别是那个女管家对她的一通说教。

想到这些，海蒂马上从床上跳下来，迅速穿好衣服，从一扇窗走到另一扇窗前，迫不及待地想看看外面的蓝天和大地。可是，窗帘布对她来说太沉了，根本拉不开，于是她只好钻到窗帘里边，可窗台也太高了，还是看不到外面。而且，她发现无论自己走到哪儿，眼前都总是同样的东西——一样的窗户和墙壁，这让海蒂感到非常害怕。以前在爷爷那里，她起床后的第一件事情就是跑到门外，看看外面的景色：天空是不是蓝色的？太阳公公是否已经起床？她还要向高大的杉树和鲜艳的花儿们问好呢！而此刻，她却像只被关进精美笼子里的小鸟，在里面不停地飞来飞去，试着从笼子的缝隙间挣脱出去，重获自由。海蒂就这样执拗地在窗户间跑来跑去，试图打开窗户，她相信只要开了窗，就一定能看见绿色的小草和山坡上正在消融的残雪。但是，不管海蒂怎样推呀、拉呀，甚至把指头伸到窗框底下使劲抠，窗户仍然紧闭。海蒂终于意识到，自己的所作所为都是白费力气，只好不再折腾了。“或许等我走出这栋房子，绕到后面，就能看到一片绿地吧，这房子的前面只能看到冷冰冰的石头。”海蒂自言自语道。

正在这时，突然有人敲门。随后，蒂奈特探出头来，板着脸用尖厉的声音说道：“早饭好了，快出来吃！”说完，就猛地关上门走了。

海蒂根本没听出来她这话是招呼自己去吃饭的意思。相反，她将蒂奈特的模样理解为叫她别跟着出去吃饭，而应该在房间里待着。她只好从桌子下面拿出张小凳放在角落里，坐了上去，静静地等着。过了一会儿，罗藤梅尔小姐走了进来。她怒气冲冲地冲着小海蒂大嚷：“怎么回事，阿尔菲特？你不懂什么叫早饭吗？赶快过来！”

海蒂这才明白，马上跟着走进了餐厅。克拉拉已经在那儿等了好久了。她一看见海蒂，就友好地冲她打了声招呼，脸上的表情比平时愉悦得多，因为她知道只要有海蒂在，今天一定又会发生好多有趣的事情。

早餐吃得倒也平静，海蒂规规矩矩地吃着黄油面包，没再和仆人说话。吃完饭后，克拉拉被推到书房，海蒂也按罗藤梅尔小姐的吩咐跟了进去，和克拉拉一起等厄歇尔先生来上课。当屋子里只剩下这两个孩子的时候，海蒂马上问道：“怎么才能从窗户看到外面？”

“那得先打开窗户啊。”克拉拉笑着回答她。

“可是窗户打不开呀！”海蒂说。

“能，能打开。”克拉拉肯定地说，“只是你一人不行，我也不行。但如果你去找塞巴斯迪，他肯定会替你打开的。”

海蒂听到窗户可以打开往外看，总算放下心来。接着，克拉拉问起海蒂她在家时的生活，海蒂便高兴地给她讲起了群山、山羊和所有她此刻魂牵梦绕的东西。

这时，老师来了。但他刚要进书房就被罗藤梅尔小姐拦住，带到了餐厅。此刻，罗藤梅尔小姐正激动地向老师讲述海蒂这个小麻烦精。

“赛斯曼先生在巴黎做生意的时候，我就写了封信告诉他，克拉拉想有个同龄的伙伴，我本人也希望如此，这样不仅可以促进小姐学习，也可以让她多和同龄人交往。我也不用整天费尽周折哄着小姐高兴了。赛斯曼先生同意了，但他提出了一个要求，就是必须像对待他的女儿一样对待那个孩子，他不想在自己家里发生虐待小孩的事情。当然，这是肯定的！”

然后，她告诉老师海蒂是怎样来到这里的，还有她发现从各方面看这孩子都不合适。“一个大字不识一个、一点上流社会礼仪都不懂的孩子怎么能陪伴小姐？在我看来，现在只有一个办法可以解决问题：您出面说明，这两个孩子没法放在一起上课，否则会影响小姐的学习。这个理由足以让赛斯曼先生重新考虑，同意把这个瑞士女孩送回家。”

可是，厄歇尔先生不是个会轻信他人的人，他习惯从正反两个方面考虑问题。他安慰罗藤梅尔小姐：“事情可能不像她担心的那么糟。如果这孩子在学习上落后，那她在其他方面就很有可能超前，用不了多长时间的正规教育，她很快就能赶上来的。”罗藤梅尔小姐见老师不支持自己，只好打开了书房的门。

等老师一走进去，她便迅速地从外面把门关上，因为对她来说，坐在一旁看着海蒂从ABC从头学起实在是件太难受的事情了。她在餐厅里焦躁不安地走来走去，脑子里思考着应该让仆人们怎么称呼阿尔菲特才好。因为赛斯曼先生信上要求她要像待他的女儿一样对待这孩子——这句话显然是针对海蒂和仆人之间的关系而言的。就在她苦苦思索的时候，书房里突然传来噼里啪啦东西落地的声音。接着，就听见呼叫塞巴斯迪的喊声。她冲进去一看，只见地上一片狼藉，所有的学习用品连同桌布都全掉在地上了。在这一堆东西下面，一股黑墨水正流得到处都是。海蒂却不见了。

“果不其然！”罗藤梅尔小姐气得要发疯，“书本、地毯、桌布，到处都是墨水！准是那个可恶的孩子干的！”

老师目瞪口呆地站在那里，望着眼前乱七八糟的景象，不知该如何解释。而克拉拉的样子却很快活。

“是海蒂弄的。不过，她也不是故意的，所以你不能惩罚她。她站起来得太突然了，不小心刮到了桌布，东西就全都掉到地上了。当时，外面正好有几辆马车驶过，她‘噌’的一下站了起来，撒腿就冲了出去。

我想是因为她没见过马车吧。”

“老师，现在你相信我了吧？这孩子就是无可救药！连规规矩矩地上课听讲都做不到！她肯定是跑出去了，我该怎么和赛斯曼先生交代啊？”

罗藤梅尔小姐急忙跑出家门，下了石阶，见海蒂正站在那儿，茫然地向马路两头张望着。

“你到底想干什么？这么发疯一样地跑出来！”罗藤梅尔小姐气呼呼地责骂道。

“刚才我听见杉树哗哗地响，可却看不到树在哪里，这会儿连声音也听不到了。”说着，海蒂失望地向马车消失的方向望了望。她错把马车的声音当成阿尔卑斯南风吹过杉树时发出的响声，这才欢天喜地地跑了出来。

“杉树？！你当法兰克福是在森林里？快上去看看你干的好事儿！”

海蒂跟着罗藤梅尔小姐的后面回到书房，看到书房里乱七八糟的样子，不由得大吃一惊。她只顾兴冲冲地跑出去听杉树声，根本没有注意到自己把东西都碰翻了。

“不许再有第二次了！”罗藤梅尔小姐指着地板说，“上课时要坐着不动，认真听讲。不然，我就把你捆在椅子上，听明白了吗？”

“明白了，我会坐好的。”海蒂回答，知道这是她必须遵守的规矩。

这时，塞巴斯迪和蒂奈特被叫来收拾房间。见此情景，厄歇尔先生便提前结束了上课，先告辞回去了。克拉拉哑然失笑：

这次就是想上课打呵欠，也没有机会了。

片刻的自由

每天下午，克拉拉都有午休的习惯。在这段时间，罗藤梅尔小姐就会允许海蒂做她自己想做的事儿。这天，克拉拉又开始了午休，罗藤梅尔小姐也回了她自己的房间，海蒂雀跃不已：盼望已久的时刻终于到了！她早就打定了主意要做一件事儿。不过，光她自己可不行，必须找个人来帮忙，于是，海蒂站在餐厅前的走廊里，等着她想找的那个人。不一会儿，她等的那个人就出现了——塞巴斯迪从厨房端着大托盘上楼来了，他正准备将盘中的银制餐具放回到壁橱里。当他迈上最高一层阶梯时，海蒂走上前去，对他说道："您或者他！"可别笑，海蒂这样叫塞巴斯迪是有原因的，自从听了罗藤梅尔小姐云山雾罩的训导后，她就不知道到底怎么称呼仆人了。

塞巴斯迪听得一头雾水，没好气地问："什么事儿，小姐？"

"我只是想请你帮个忙，这次可不是上午那种一塌糊涂的事，"海蒂辩解似的说，因为她看出塞巴斯迪心情不好，肯定是因为自己上午把墨水泼到地毯上的缘故。

"好吧，小姐，请说吧。"塞巴斯迪的语气平和了一些。

"我不叫小姐，我叫海蒂。"

"罗藤梅尔小姐吩咐我们必须这么叫您。"塞巴斯迪说。

"好吧，那我就叫这个名字好啦。"海蒂无奈地说。她知道一切事情都得听罗藤梅尔小姐的。

“小姐，所以您到底有什么事儿？”塞巴斯迪端着大托盘走进餐厅。海蒂紧紧跟在后面。

“你能打开窗户吗，塞巴斯迪？”

“当然能！”塞巴斯迪说着就打开了一扇大窗。

海蒂跑过去，可是她个子太矮，才到窗户沿儿，根本看不到外面。塞巴斯迪拿来一张高脚木凳放到窗前，说：“小姐，您站上去就能看见窗外了。”海蒂高兴地踩了上去，可是，她只朝外看了一眼，就一脸失望地叹了口气，扭过头来。

“除了石头大街，什么都没有！”她伤心地说道，马上又像想起了什么似的，“要是绕到房子后面会看见什么呢，塞巴斯迪？”

“和前面看到的一样。”

海蒂再次叹了口气，真不知道住在城里有什么好，也不知道蒂提姨妈为什么挖空心思也要把她带到这个地方。

“那我到哪儿才能看见整个山谷呢？”

“那您得爬上教堂的塔楼，就是那边那座上面有个金色圆球的建筑。从那儿，才能看到很远的地方。”

海蒂立刻飞一般地从凳子上爬下来，跑下楼梯，如离弦的箭一般冲出屋门，来到街上。她从窗户往外看时，那塔看上去很近，让她觉得只要穿过马路就可以到了，然而，她一路狂奔，已经到了街道的尽头，却连塔的影子都看不到。她拐到另一条街上，走啊走啊，还是看不见那座高高的塔楼。很多人从她身边走过，行色匆匆。这时，她看见街的拐角处站着一个男孩，背着架手风琴，怀里抱着个乌龟。她连忙跑上前，问道：“顶上有金色圆球的塔在哪里？”

“不知道。”

“谁可以告诉我它在哪儿吗？”

“不知道。”

“那你知道哪个教堂有高高的塔楼吗？”

“这我倒是知道一个。”

“太好了！可以指给我看吗？”

“那我能得到什么好处？”男孩说着伸出了手，动了动手指。海蒂摸了摸口袋，掏出一张画着红色玫瑰花花环的小卡片，这是克拉拉今天早上才送给她的。海蒂盯着卡片看了好一会儿，有些舍不得，但是为了看到山谷的景色，她只能忍痛割爱了！

她把卡片递了过去：“这个行吗？”

男孩失望地摇了摇头。

“那你想要什么？”海蒂问，暗自庆幸地把她的宝贝塞回到兜里。

“钱呗。”

“我没钱，但克拉拉有，我想她肯定会给我的，你要多少？”

“两个便士。”

“没问题，那现在走吧！”

于是，两个人沿着一条长长的街道往前走。

“你背上背的是什么东西？”海蒂好奇地问男孩。

“是架手风琴，一摇就会响起好听的音乐……我们到了。”他们来到了一个古老的教堂前，教堂上的确有个高高的塔楼。

“我怎么才能进去呢？”海蒂望着那扇紧闭的大门问道。

“不知道。”

这时，海蒂看见墙上有门铃。

“你说我是不是可以按门铃，就像他们叫塞巴斯迪那样？”

“不知道。”男孩还是那么呆呆地回答。

海蒂走上前去，使劲地按响了门铃。

“我要是上去的话，你得在这里等我。我不认识回家的路，还得由你带路才行。”

“那我又能得到什么好处？”

“这回你想要什么？”

“再给我两个便士。”

这时，门打开了，从里面走出来一位老人。他先是愣了一下，见是两个孩子，生气地喊起来：“把我叫下来有什么事？看不懂门铃下面写的是什么吗？‘登——塔——者——请——按——铃’！”

男孩指了指海蒂，没有说话。

“我就是想登塔啊。”海蒂说。

“你？上去干什么？”看塔的老人惊讶地问，“谁让你来的吗？”

“没有，”海蒂答道，“我只是想上去往下看看。”

“快回家，不许再来这里捣乱，再有下次我决不轻饶！”

说着，守塔人转身就要关门。海蒂马上跑过去抓住了他的衣襟，恳求道：“就让我上去一次，行吗？”

守塔人低头望见海蒂渴求的目光，心也软了下来。他拉起海蒂的手，和蔼地说：“要是你真的很想上去，那就跟我来吧。”

那男孩在门口的石阶上坐下，他不想上去，只是照海蒂说的，留在下面等她。

海蒂拉着老人的手，拾级而上，就这样爬到了塔顶。守塔人把海蒂抱了起来，举到敞开的窗户边。

“来，你往下边好好看看吧。”他说。

海蒂往下一看，只见到处都是屋顶、烟囱和塔楼，她随即转过脸，沮丧地说：“完全不是我想象的那个样子。”

“我就知道是这样！小孩子哪懂什么是好风景！下来吧，以后不要再按门铃了！”

守塔人把海蒂放下来，领着她下楼。当他们走到一个宽敞的楼梯平台时，海蒂发现左边有一扇门通向守塔人的小屋。小屋的顶倾斜下来，同塔楼的地板连在了一起。那深处放着一个大筐子，里面是一窝初生的小猫。旁边蹲着一只灰色的大肥猫，冲着海蒂喵喵直叫，似乎是在警告她不要骚扰它们一家。

海蒂吃惊地看着这只猫——她还从没见过这么大的猫！守塔人看见海蒂吃惊的样子，说：“来吧，看看猫宝宝。有我在，猫妈妈不会抓你的。”

海蒂走到筐前。“啊，多么可爱的小猫！”她兴奋地大叫起来，目不转睛地看着七八只小猫在篮子里翻来滚去、爬上跌下的样子。

“你想要一只吗？”守塔人笑眯眯地望着欢乐不已的海蒂问道。

“给我？让我养吗？”海蒂激动地问，简直不敢相信自己的耳朵。

“如果你喜欢的话，还可以多拿几只。要是你有地方养的话，都拿走也行。”其实，老人很高兴不用费什么周折就可以把这些小猫处理掉。

海蒂激动不已，那幢大房子里有的是地方。而且，克拉拉要是看见这些可爱的小猫，一定很高兴吧！

“可是，怎么拿回去呢？”海蒂说着就伸手去抓。这时，猫妈妈凶猛地扑过来，吓得她慌忙把手缩了回去。

“我会给你送去的，告诉我你的住址就行了。”守塔人一边说着，一边抚摸着这只同他在塔里生活多年的老猫朋友。

“那么请您送到赛斯曼先生家。他家前门口有个金狗头门钹，嘴里衔着个大铁环。”

“我知道那座房子，”守塔人说，“可是把这些小东西送去了，该交给谁？你肯定不是他家人吧。”

“我的确不是他家人，但我想克拉拉会很喜欢这些小猫的。”

说好之后，看守人想领她下楼去，可海蒂怎么也舍不得离开这些可爱的小东西。

“我能不能先带两只回去？一只给我，一只给克拉拉？”她央求道。

“那你等会儿。”说完，守塔人把母猫拎到自己的屋子里，放到猫食盆前，然后关上门走了回来，对海蒂说：“你挑两只吧。”

海蒂高兴得两眼闪闪发光。她挑了一只小白猫和一只小花猫，分别放进左右两个口袋，然后才跟着守塔人走下了楼梯。

男孩仍坐在外面的台阶上等着她。当守塔人在她身后关上大门后，海蒂马上说："走吧，咱们回赛斯曼先生的家去！"

有四便士做鼓励，男孩立刻向目的地跑了起来，海蒂紧紧跟在后面。不一会儿，两个人就跑到了赛斯曼先生家门口。海蒂按了按门铃，塞巴斯迪很快就走了出来。他一看见海蒂就催促道："快进来！"

海蒂慌忙跑了进去。塞巴斯迪砰地关上门，根本没注意到外面还站着个男孩。

"快点儿，我的小祖宗，"塞巴斯迪催促道，"快去餐厅，他们全都坐好了，就等您了。罗藤梅尔小姐看上去就像一个随时要爆炸的炸弹。您究竟跑出去干什么了？"

海蒂走进餐厅，里面静得可怕。罗藤梅尔小姐没有抬眼看她，就连克拉拉也没吭一声。塞巴斯迪替海蒂拉开椅子。海蒂坐好后，罗藤梅尔小姐板着脸，语气非常严厉地对她说："阿尔菲特，饭后我要和你好好谈谈，现在只说一点，你未经允许，也没跟任何人打招呼，就擅自跑出去，闲逛到这么晚才回来。太不像话了！"

"喵——"传来一声回答，好像是海蒂的声音。

这成了压垮骆驼的最后一根稻草——罗藤梅尔小姐终于忍受不了了。她火冒三丈，冲着海蒂吼道："好啊！阿尔菲特，你做错了事儿，竟然还敢恶作剧？"

"我没……"海蒂的话还没说完，"喵——！喵——！"的声音又响了起来。

"够了！"罗藤梅尔小姐气得快要背过气去，"你给我出去！"

海蒂惊慌地从椅子上站起来，继续解释一下："我真的没……"可是，"喵——，喵——，喵——！"的声音又连续响了起来。

“海蒂，你怎么还总是那样喵喵叫呢？”这回克拉拉也看不下去了，“你没看见罗藤梅尔小姐生气了吗？”

“我没叫，是小猫叫的。”海蒂总算有机会把话说完了。

“什么？”罗藤梅尔小姐尖叫起来。“塞巴斯迪！蒂奈特！把可恶的畜生找出来，扔出去！”

罗藤梅尔小姐边喊边跑进书房，插上门栓。她最怕的动物就是猫了。

塞巴斯迪在门外笑得喘不过气来，等自己平静下来后，才回到餐厅。只见屋里一片寂静，克拉拉把小猫放在自己的膝盖上，海蒂跪在旁边，两个人正和可爱的小猫咪玩得高兴呢。

“塞巴斯迪，你得帮我们一个忙，给这两只小猫咪找个窝，要在罗藤梅尔小姐看不到的地方。她怕猫，一定会把它们扔掉。可我们想留下它们，等没别人的时候，就让它们出来玩。”

“交给我吧，克拉拉小姐。”塞巴斯迪欣然答应了，“我会用筐子给它们做个舒服的窝，放在夫人找不到的地方。”

塞巴斯迪说完就立刻忙活起来。过了很久，罗藤梅尔小姐才敢打开自己房门的一条门缝，朝外喊道：“已经把那些可恶的畜生扔了吗？”

“是的，夫人！”塞巴斯迪忍着笑答道，他最爱看罗藤梅尔小姐生气的样子。此刻，他麻利地从克拉拉膝盖上抓起小猫，走了出去，准备把它们带去新的窝。

罗藤梅尔小姐原本打算好好教训一下海蒂的，现在只能等到明天了。她已被那两只小猫弄得筋疲力尽、狼狈不堪了。而克拉拉和海蒂知道小猫咪们已经安全后，也高高兴兴地上床睡觉了。

小闯祸精

第二天早晨，厄歇尔先生像往常一样来教书了，塞巴斯迪刚把他请进书房，就又听见门铃响。他以为是赛斯曼先生突然回家来了，马上飞快地跑下楼去。然而，当他打开门，面前站着的不是赛斯曼先生，而是一个衣衫褴褛的男孩，还背着架手风琴。

“这是怎么回事？”塞巴斯迪气急败坏地喊道，“你不知道不能乱按别人家的门铃吗？”

“我是来见克拉拉的。”男孩回答说。

“你这脏兮兮的捣蛋鬼，怎么配找我们克拉拉小姐？”

“她欠我四个便士呢。”男孩理直气壮地说。

“胡说八道！你怎么知道这里有位克拉拉小姐的？”

“昨天我先给她指路，挣了两个便士，后来带她回来，她又承诺给我两个便士。”

“谎话连篇！”塞巴斯迪气呼呼地说道，“克拉拉小姐路都走不了，又怎么可能出门？你赶紧走开，要不，我就对你不客气了。”

“你爱信不信，”男孩一点也没被塞巴斯迪吓到，仍旧一动不动地站在那儿，满不在乎地说，“我在街上碰到她的，现在还能给你说出她的模样。她有一头又短又卷的黑头发，眼睛亮亮的，穿着件棕色的裙子。说话的口音很奇怪。”

“好吧，”塞巴斯迪明白了，暗自发笑，“又是那个小丫头啊。真不知道她还能惹出多少事儿，你跟我来吧。”他把男孩领到了书房门口，“先在这里等着，待会儿进去的时候，记得拉支拿手的曲子，克拉拉小姐会喜欢的。”说罢，塞巴斯迪敲了敲门，走了进去。

“克拉拉小姐，外面来了个男孩，说一定要见您。”塞巴斯迪恭敬地向克拉拉报告。

这对于克拉拉来说，她又惊讶又期待地说：“快带他进来，我看看是谁。”

说话间，男孩已经走了进来，按照塞巴斯迪的吩咐拉起了手风琴。此时，罗藤梅尔小姐正在餐厅，一听见手风琴的声音，马上警觉了起来：这声音是从大街上传来的吗？可听起来怎么这么近？书房里怎么会有手风琴的声音？但是，这声音确实是从书房那里传出来的。她飞似的穿过长长的餐厅，猛地打开书房的门，只见一个破衣烂衫的男孩正专心致志地拉着手风琴，家庭教师站在一旁一脸尴尬，而克拉拉和海蒂正一脸陶醉地听着音乐。

“停下！立刻停下！”罗藤梅尔小姐大声喊道。可她的声音完全被音乐淹没了。于是，她冲向男孩，但是脚却突然被什么东西绊住，低头一看，是个可怕的黑家伙——乌龟！罗藤梅尔小姐吓得一蹦老高，她可是好多年都没有这样蹦过了。她声嘶力竭地尖叫着：“塞巴斯迪！塞巴斯迪！”

这回她的叫声终于盖过了音乐，男孩停了下来。塞巴斯迪站在门外已经笑得直不起腰来了。等他好不容易憋住笑走进书房时，罗藤梅尔小姐早已瘫坐在椅子上了。

“立刻把人和乌龟都赶出去！”罗藤梅尔小姐命令道。塞巴斯迪应允着，赶紧拉起男孩往书房外走，男孩连忙一把抓起自己的乌龟。到了门外，塞巴斯迪一边往男孩手里塞着钱，一边说道:“这钱是克拉拉小姐上次欠你的，这钱是你刚才拉琴挣的。拉得很不错！”说完，就把男孩送出了大门。

书房重归平静，教学终于可以继续进行了。这回，罗藤梅尔小姐不再到餐厅转悠了——她已经明白，有海蒂在，就一刻都不能放松警惕，必须坐镇书房，以免再有什么荒唐事发生。她坐在那里琢磨着刚才那一幕发生的前因后果，决定下课后再好好调查刚才的事件，找出罪魁祸首，狠狠地加以惩罚。

可事情马上又来了——塞巴斯迪回到了书房，说刚刚有人送来一个大篮子，要立刻交给克拉拉小姐。

“给我的？”克拉拉吃了一惊，今天的稀奇事儿可真多，“快拿来给我看看。”塞巴斯迪便拿进来一个盖着盖儿的篮子，放在克拉拉小姐的脚边，随后就恭敬地退了出去。

克拉拉迫不及待地伸长脖子看向那个篮子，但罗藤梅尔小姐语气严厉地说：“小姐，请先上完课再打开篮子！”

可是，克拉拉实在是按捺不住自己的好奇心，在做单词题时突然就没头没脑地冒出了一句：“厄歇尔先生，您就让我看一眼篮子，只一眼，行吗？”

“以现状来看，是可以的；但从课堂秩序上来讲，又不可以。”喜欢辩证思考问题的厄歇尔先生开始了他谨慎客观地分析，“我说可以，是因为你的注意力已经全都在那个篮子上面了——”可说到这里，他的话就戛然而止了，因为那篮子上的盖儿松动了，从里面跳出了小猫，一只，两只，三只……越来越多。这些可爱的小东西以不可思议的速度跳出来，在屋子里窜来窜去。有的蹦到老师的鞋子上，撕咬着他的裤子；有的则爬到了罗藤梅尔

小姐的裙子上；还有的跳上了克拉拉的椅子，又抓又挠，还喵喵直叫——屋子里乱作一团。克拉拉却欣喜若狂，连声喊道："哇，哪里来的这么多可爱的小猫咪！看它们跳得多高兴！海蒂，你快看！这儿，还有那儿，你快看！"海蒂早就按捺不住激动的心情了，她笑着闹着，满屋子追着小猫，从一个屋角跑到另一个屋角。厄歇尔先生站在桌旁，无可奈何地一会儿抬起左脚，一会儿又抬起右脚，既要躲避小猫们的抓挠，又怕踩到小猫。罗藤梅尔小姐坐在椅子上，一时间竟吃惊得说不出话来。当她终于回过神来，马上扯着嗓子拼命喊叫起来。"蒂奈特！蒂奈特！塞巴斯迪！塞巴斯迪！"她不敢从椅子上站起来，害怕那些可怕的小猫崽们会一起扑到她的身上。

两个仆人应声赶来，塞巴斯迪赶紧把这些小东西一只一只抓进篮子里，提到阁楼上。那里有他昨天为海蒂带回来的两只小猫准备的窝。

这一天上课的时候，再也没有一个人打呵欠了。晚上，罗藤梅尔小姐从上午的骚乱中缓过神来，把塞巴斯迪和蒂奈特叫到书房，盘问起这起恶劣事件的来龙去脉，终于搞明白今天发生的可怕的一切，都是海蒂前一天外出闲逛惹出来的麻烦。

罗藤梅尔小姐气得脸色发青，过了许久，才挥挥手让塞巴斯迪和蒂奈特先下去，转过身恶狠狠地盯着站在克拉拉轮椅边的海蒂。海蒂则一脸茫然，不明白自己又犯了什么错——她只是想让克拉拉高兴，难道让克拉拉高兴就一定会惹罗藤梅尔小姐生气吗？

"阿尔菲特！"罗藤梅尔小姐声色俱厉地怒吼道，"我算是看明白了，对付你这样的野孩子，只有一种惩罚奏效——就是把你关到漆黑的地窖里，和蝙蝠、耗子待在一起，这样你才知道学乖，看你今后还敢惹是生非！”

海蒂听到这个惩罚，却更觉得疑惑了——她进过的地窖是爷爷存放干酪和鲜奶的地方，那可是个诱人的好去处啊。而且，她也从没见过什么蝙蝠和耗子。

克拉拉打断了女管家的话：“不，请你冷静，罗藤梅尔小姐。我想这件事要等爸爸回来后再作决定。他已经在信上说过，他很快就会回来。到时，我一定会把这些事儿原原本本地告诉他，他会决定怎么处置海蒂的。”

罗藤梅尔小姐知道，自己不能违背克拉拉的意愿，便不敢再反对了。她无可奈何地站起身，悻悻地说：“好吧，克拉拉小姐。不过，我一定会跟赛斯曼先生严肃地谈一谈这件事的。”说完，她没好气地白了海蒂一样，离开了书房。

白面包与旧草帽

自从克拉拉替海蒂说话以后，赛斯曼家一连几天都相安无事，只有罗藤梅尔小姐还一直惊魂未定。自从海蒂来到这里，原本规规矩矩的家整日都鸡犬不宁，这不能不叫她担惊受怕。克拉拉的感受却正好相反——海蒂的到来让她非常开心。有了海蒂，上课也不再沉闷乏味了，因为海蒂总会做出稀奇古怪的事情来。她好像完全没学过字母似的，总是把它们搞混。厄歇尔先生为了形象地讲解和描述字母，常用兽角或鸟嘴来做比喻。

每逢这个时候，海蒂就会联想起牧场的山羊和山上的老鹰。可这对她记忆字母没有一点儿帮助。

傍晚的时候，海蒂总是坐在克拉拉的身边，给她讲述高山牧场的生活。讲着讲着，海蒂的思乡之情就会越来越强烈，最后总是说："我真的该回家去了！我明天就得走！"但每次克拉拉都宽慰她说："我理解你的心情，等到爸爸回来，咱们就知道该怎么办了，在这之前你一定要忍耐。"听了这话，海蒂又能从伤感中打起精神了。其实，海蒂的心里还藏着一个小秘密：她在这儿每多待一天，就能给奶奶多攒两个白面包带回去。每天午餐和晚饭时，她都会把盘子旁边的白面包揣到口袋里，一口都舍不得吃。因为奶奶有了这些白面包后，就再也不用啃那些硬邦邦的黑面包了，她一定会很高兴的。

每天吃完午饭，海蒂都得独自一人在自己的房间里待上一段时间。经过了这段日子，她终于明白：法兰克福和高山牧场是不一样的，她不能像住在爷爷的小屋时那样自由自在地进进出出。因此，她再也没跑出去过。她也明白了，自己不能到餐厅里随意找塞巴斯迪说话，那会被罗藤梅尔小姐责骂的。至于蒂奈特，海蒂也从来不想和她说话，相反，看到她就会绕道走，因为蒂奈特总是用轻蔑的口气高高在上地和她讲话，还经常不怀好意地模仿、取笑她。这样一来，海蒂在空闲时就会一直坐在屋子里，独自遐想——高山牧场的积雪，应该已经融化了吧，现在满山一定又是一片翠绿了，这时，山谷和漫山遍野的鲜花也都会沐浴在金灿灿的阳光下，那该是多么令人心旷神怡的一片美景啊！每每想到这里，她又会难以克制自己重返高山牧场的渴望了。幸好，姨妈曾经说过，只要她愿意，随时还都可以回去。

这一天，海蒂再也忍耐不住了。她匆匆地将积攒的白面包裹在红色围巾里，戴上草帽就往楼下走。可是，她刚走到大厅门口，就碰上了刚从外面散步回来的罗藤梅尔小姐。这位令人生畏的夫人惊讶地打量着海蒂的一身行头，最后把锐利的目光放在了海蒂手中的红色包裹上。她用责怪的口吻问道："你这是一身什么打扮，要干什么去？我不是已经明令禁止你一个人到处乱逛了吗？怎么，没消停几天，老毛病就又犯了吗？还把自己弄成这副街头乞丐的模样！"

"我不是去乱逛，我想回家看看爷爷和奶奶。"海蒂有些害怕，低声回答道。

"你说什么？想回家？"罗藤梅尔小姐气急败坏地举起手说，"就这个样子离开？要是让赛斯曼先生知道了，他会怎么说！还有，你在这里吃好的喝好的，和我们克拉拉小姐一样享受锦衣玉食的生活，我倒要问问你，你在你那穷乡僻壤里长这么大，住过这么漂亮的房子、睡过这么软的床、吃过这么好的饭菜吗？我们哪里亏待你了？你就这么想走！你这个忘恩负义、身在福中不知福的小东西！"

海蒂被她这么一通羞辱，在赛斯曼家这些天来所受的委屈和压抑已久的思乡之情终于爆发出来："我只是想回家。我在这里，小雪肯定会哭，奶奶也会很想我。再说，这儿有什么意思？看不见太阳公公跟群山说晚安，也看不见一点儿绿色。我爷爷说得对，老鹰要是飞到法兰克福的上空，肯定会叫得更凶——这么多人，乱七八糟地住在一起，成天吵架，怎么不到山上去舒舒服服地住呢？”

“天哪，这孩子疯啦！”罗藤梅尔小姐被海蒂顶撞得说不出话来，愣了几秒才失声叫道。她慌慌张张地往楼上跑去，恰巧和正要下楼的塞巴斯迪狠狠地撞了个满怀。

“快把那个丧门星带上来！”罗藤梅尔小姐一边揉着被撞痛的脑袋，一边吩咐道。

“是！”塞巴斯迪也揉了揉自己的脑袋，他比罗藤梅尔小姐撞得还要厉害。

海蒂还是站在那儿，眼中含泪，浑身颤抖，难以平静下来。

“喂，我的小姐，这次您又惹什么祸了呀？”塞巴斯迪以为海蒂又在调皮捣蛋，便像往常一样打趣地问道。可这次，他发现海蒂一动不动，梗着脖子，小脸涨得通红，便知道这次的情况不一样了。他马上温和地拍拍海蒂的肩膀，安慰她说：“好了，罗藤梅尔小姐一向就是那个样子，您别往心里去。保持快乐比什么都重要！您看我，脑袋都快被她撞出个洞来，不也还是一样乐呵呵的吗？来，跟我上去吧。”

海蒂终于走上楼去，但脚步沉重而缓慢，和过往那个轻快活泼的她简直判若两人。塞巴斯迪看在眼里，也觉得她怪可怜的，便跟在后面鼓励她说：“打起精神来！我们的海蒂小姐一向非常厉害，来这儿之后从来没哭过。待会儿，等罗藤梅尔小姐不在的时候，我们去看看小猫，好吗？它们在阁楼上玩儿得可开心啦。”

海蒂微微点了点头，样子一点儿都不开心。这让塞巴斯迪一阵心痛，充满同情地看着她走回了自己的房间。

晚饭时，罗藤梅尔小姐一言不发，时不时地用眼睛警惕地瞟一下海蒂，怕海蒂又做出什么疯疯癫癫的事儿来。但海蒂却十分的安静，坐在那里不吃也不喝，只是像往常一样将白面包塞进自己的口袋里。晚上，她也没有和克拉拉玩儿，看了一会儿小猫就回到了自己的房间，再没发出声响了。

第二天一早，厄歇尔先生来了，罗藤梅尔小姐便向这位值得信赖的家庭教师讲述了海蒂想逃回家的事儿，以及她那时说出的稀奇古怪、毫无教养的话。接着，她透露了自己的担心——她觉得海蒂不习惯这里的水土和生活方式，脑子出了问题。

性格温和的厄歇尔先生一再安慰罗藤梅尔小姐，告诉她，阿尔菲特小姐虽然在性格上有些古怪，但其他方面都十分健康。他确信，经过细心地照料和教育后，阿尔菲特小姐一定会很快恢复理智，不再吵闹了。相比之下，他现在更为担心的是这孩子好像学不会字母，课程从 ABC 往下就根本没法讲下去了。罗藤梅尔小姐听了这些，才稍微放心了一点。

下午，罗藤梅尔小姐突然想起海蒂前一天准备不告而别时穿的那身土里土气的衣服，决定在赛斯曼先生回家之前，给她找些克拉拉的衣服，好让她看起来体面一些。克拉拉双手赞成，表示很乐意多送些裙子、帽子和其他衣服给海蒂。于是，罗藤梅尔小姐就去海蒂的屋里收拾衣柜，看看哪些衣服可以保留，哪些衣服应该扔掉。可是，没过一会儿，她又气急败坏地跑了出来。

“阿尔菲特！”罗藤梅尔小姐喊道，“看我在你的衣柜里发现了什么？克拉拉小姐，您知道吗，阿尔菲特的衣柜里——就是那个本该放衣服的柜子里，居然放着一大堆干巴巴的面包！还从没见过这样藏东西的！蒂奈特——！”她提高嗓门叫道，“把阿尔菲特衣柜里的干面包和桌上那顶破草帽一起给我扔到垃圾桶里去！”

“不！不！”海蒂哭喊着，“那顶帽子我要留着！面包是要送给奶奶的！”她想去追蒂奈特，却被罗藤梅尔小姐死死地拉住了。

“你要想待在这儿，那些破烂玩意儿就得扔掉！”罗藤梅尔小姐口气坚决地说道。海蒂一听，扑倒在克拉拉的椅子上，绝望地大哭起来。她越哭越伤心，还时不时地哽咽道：“现在奶奶没有白面包吃了。它们全是给奶奶的。这下全被扔掉了。奶奶一个也吃不到了！”她号啕大哭，好像世界末日到了。

罗藤梅尔小姐见海蒂闹成这样，感到莫名其妙，更被她的哭声吵得心烦意乱，索性转身甩手而去，不再管了。克拉拉见此情景，心里很是不安。

“海蒂，海蒂，别哭了。”克拉拉恳求说，“听我说！别难过了，这样吧，你回家的时候，我会给你比现在还要多的白面包，让你带回去给奶奶！这样，面包又新鲜又软和，不像你攒的那些已经变得硬邦邦的了。好吗？海蒂，听话，别再哭了！”

海蒂抽泣着，好半天都停不下来。但克拉拉的承诺确实让她得到了一些安慰，她半信半疑地问，“你真的会给我那些面包吗？”

她哭得红扑扑的小脸上挂着晶莹的泪珠，甚是惹人怜爱，克拉拉忍不住笑了笑，马上毫不犹豫地答道：“当然会啦！你就放心吧！所以，现在快别哭啦。”

吃晚饭的时候，海蒂的眼睛还是红红的。一看见盘子边上的面包，她的喉咙就一痒，差点儿又哭了出来。但是，在餐桌上必须保持安静——这是规矩！她只能强忍着悲伤。但奇怪的是，那天晚上，塞巴斯迪每次路过她身边，都会做出奇怪的手势：一会儿指指自己的头，一会儿又指指海蒂的头，又是点头，又是眨眼的，像是在跟她传达什么秘密。

晚上，海蒂刚爬上床准备睡觉，就在被窝里意外地发现了自己那顶皱巴巴的、已经被蒂奈特扔掉的破草帽。她喜出望外，赶紧仔细地用手绢包好帽子，把它藏到了衣柜最深的角落里。

其实，这就是晚饭时塞巴斯迪想用手势告诉海蒂的秘密。罗藤梅尔小姐叫蒂奈特扔掉面包和草帽的时候，塞巴斯迪刚好也在餐厅，他听到了海蒂绝望的哭喊声。于是，他悄悄跟在蒂奈特的后面，等她从海蒂房间里出来的时候，便一把将放在面包上面的帽子拿了过来，说道：“这个就交给我来处理吧！”等大家用晚餐时，他悄悄地溜进海蒂的卧室，把帽子塞进了她的被子里。就这样，善良的塞巴斯迪帮海蒂把旧草帽留了下来。

好想家啊

赛斯曼先生回来了

这几天，赛斯曼家里一反往日的宁静，突然热闹了起来，仆人们上楼下楼、来来回回地跑动，神色匆匆。原来是主人赛斯曼先生回来了。和以往一样，他又带回了一大堆礼物和好东西。这不，塞巴斯迪和蒂奈特正忙着把这些东西从马车上一件一件地搬到楼上去呢。

赛斯曼先生回家后的第一件事儿当然就是去看自己的宝贝女儿。此时，克拉拉正和海蒂坐在一起聊天。父女二人许久未见，马上亲昵地抱在了一起，诉说对彼此的想念。之后，赛斯曼先生向早已悄悄退到屋角的海蒂伸出了手，和蔼地说："这就是我们可爱的瑞士小姑娘吧。来，握握手吧！对，就这样！你和克拉拉是好朋友，对不对？你们有吵架、哭鼻子吗？"

"不不不，我们谁都没有哭鼻子，克拉拉一直待我很好！"海蒂连连摆手。

"海蒂也从来不跟我吵架。"克拉拉连忙补充道。

"那就好，我很高兴你们能和睦相处，"赛斯曼先生站起身，

“我的小克拉拉，爸爸得先去吃点儿饭，这一整天，我还什么东西都没吃呢。待会儿我再过来，让你看看我给你带回来的礼物。”

赛斯曼先生走进餐厅，他刚一坐下，罗藤梅尔小姐就在他的对面坐了下来，脸上阴云密布。

“这是怎么啦？”赛斯曼先生奇怪地问，“你怎么用这样一副尊容欢迎我回家？克拉拉看上去很开心啊！”

“赛斯曼先生，”罗藤梅尔用大事不好的口气严肃地说道，“我们大家，包括克拉拉在内，全都上当受骗了。”

“哦？”赛斯曼先生没有被罗藤梅尔的话吓到，只是平静地呷了一口葡萄酒。

“当初决定给克拉拉小姐找个伴儿时，我知道您一定想找个举止文雅的孩子，那时我想，来自大山的瑞士小女孩可能比较合适。我常在书中读到那些女孩，她们就像纯净的阿尔卑斯山一样，一尘不染、完美无瑕。”

“打住，”赛斯曼先生一本正经地说，“我想瑞士的孩子们走在路上，鞋子也会沾泥吧。毕竟他们也是人，不是神，对吧？”

“赛斯曼先生，请您别钻这个牛角尖。”罗藤梅尔小姐继续说，“我是说他们会很单纯，不受世俗影响。”

“嗯，但这和克拉拉有什么关系，请你直说。”

“赛斯曼先生，我不是在和您开玩笑。这件事儿比您想的要糟得多。我们是彻底地被这个叫阿尔菲特的瑞士小骗子给欺骗了！如果您知道在您不在家的这段时间里，她都把什么人和动物带到家里来，您就明白了。厄歇尔先生会把情况详细地告诉您。而且，这还仅仅是冰山一角……”

“我不明白你的意思。”赛斯曼先生说道。这时，罗藤梅尔小姐知道事情终于引起了他的关注。

“她的日常行为实在不可思议，我现在怀疑她的脑子一定有问题！”

赛斯曼先生马上警惕了起来，之前，他并没有觉得罗藤梅尔小姐说的话有什么大不了的。可如果是脑子有问题，那就另当别论了！真要是那样的话，克拉拉很可能会受到不好的影响。想到这，他看了看罗藤梅尔小姐，像是想确认一下她是否在胡言乱语。这时，门开了，仆人通报说厄歇尔先生来了。

“他来得正是时候！我得问问他怎么看！”赛斯曼先生大声地说，“来吧我的朋友，请这边坐！来杯咖啡吧。告诉我，您是怎么看我女儿的小伙伴的？听说她把动物带到家里来，那是怎么回事？您认为她有什么问题吗？”

老师没有马上回答这些问题，而是对赛斯曼先生的平安归来表示由衷地高兴，他还想继续客套一番，却被赛斯曼先生摆手打断了——他想立刻听听海蒂的事情。厄歇尔先生这才言归正传，但他仍旧用平日里那种长篇大论的方式说：“如果非要我发表对这个女孩子的看法，我首先要特别强调，即使现在她在某个方面存在欠缺，也或多或少是因为忽视了教育，或者说得更准确一点儿，是由于她较迟接受正式的学校教育所造成的。当然，这也与她在阿尔卑斯山区远离世俗的地方生活得太久不无关系——我不是说在那里生活不好，恰恰相反，在那里生活有其明显的好处，只要不超过一定的时间，那毫无疑问，好处会……”

“我亲爱的厄歇尔先生，”这时，赛斯曼先生打断了他的话，“您只需告诉我，那孩子带动物回来吓着您没有？您认为跟她交往对我女儿有没有负面影响？”

“这个嘛……”厄歇尔先生小心翼翼地回答，“如果说她在某些方面特立独行，那也是因为她在来法兰克福之前一直过着十分淳朴的乡野生活。来法兰克福之后，生活环境突变，我敢说，这种变化对她造成了非常大的……”

“对不起，厄歇尔先生，不麻烦您了，我现在得马上去我女儿那儿。”说着，赛斯曼先生站起身来，快步走出餐厅，再也没有回来。到了书房，他在女儿身边坐下，对已站起身来的海蒂说：“来，亲爱的，你给我拿点儿——嗯，对了——拿一杯水吧。”其实，他并不需要什么，只是想把海蒂支开一会儿。

“是要刚打上来的吗？”海蒂问道。

“对，没错，刚打上来的。”赛斯曼想也没想地回答，海蒂马上就出去了。

“我亲爱的小克拉拉，”他说着将自己的椅子朝女儿那里挪了挪，抚摸着她的小手，“你给我讲讲，你的小伙伴把什么样的动物带到家里来了？还有，为什么罗藤梅尔小姐会觉得她脑子有问题？”

克拉拉听到这两个问题，忍不住笑了，她把海蒂带猫回家来这件事的前因后果向爸爸详述了一遍。赛斯曼先生听完，也忍不住开怀大笑起来：“这么说，你不希望我把她送回家，对吗，克拉拉？你一点不觉得她烦人，对吧？”

“当然不，爸爸，”克拉拉急切地说，“您可别把她送回去！

自从海蒂来了之后，每天都发生很多有意思的事情，我感觉自己过得比以前开心多了。她还总是给我讲各种各样有趣的事情。”

“好啦，好啦，放心吧。你看，你的小朋友回来了。哦？是刚打上来的水吗，小家伙？”

原来，在他们说话的当儿，海蒂已经跑进房间来了，手里还提着一杯清澈的井水。

“是的刚从井里打上来的！”海蒂说着，将水递给了赛斯曼先生。

“等一下，难道是你自己到井边打的水吗，海蒂？”克拉拉吃惊地问。

“当然啦。我可走了很远的路呢。你不知道，我先去的那两口井边上有好多人在排队，我实在等不及了，只好去了另一条街，在那里打上了水。哦对了，还有一位满头白发的老先生让我代他向赛斯曼先生您问好呢。”

“哈哈，好一次漫长又艰辛的徒步旅行啊！”赛斯曼先生情不自禁地笑了，“那个先生是谁呢？”

“我也不认识呀。当时，他正路过井边，看见我拿了个杯子，就走过来借我杯子喝水。他还问我是给谁打水。我说是‘赛斯曼先生’，他听了就哈哈大笑起来，说：‘请你代我向他问好，希望他喜欢喝这井里的水！’”

“那位先生长什么样子呢？”赛斯曼先生问。

“他笑起来很和气，戴着一条粗粗的金链子，链子的金坠子上还镶着一块闪闪发光的红宝石。还有，他拄着根手杖，顶上有个马头，十分有意思！”

“是医生！”克拉拉和爸爸异口同声地说道。赛斯曼先生一想到这位医生——他的老朋友会怎么看待自己让人从井里给他打水喝这种新鲜事，不由得笑了起来。

当天晚上，赛斯曼先生和罗藤梅尔小姐在餐厅商量家务事，他告诉她，自己决定留下海蒂。“这孩子看上去很正常，最重要的是，克拉拉很乐意让她陪伴。因此，我希望，”赛斯曼先生加重了语气，“无论你对她有什么看法，都要善待这个孩子，不要把她的个性视为不合常理。你也不用太担心，要是你一个人对付不了，我马上就给你找个好帮手。因为再过不久，我的母亲就会到这儿住很长一段时间。她能对付得了任何人，这一点，你是知道的，罗藤梅尔小姐。”

“我知道，赛斯曼先生。”罗藤梅尔小姐叹了口气，回答说。但她的语气里可没有丝毫的轻松。

慈祥的老夫人

赛斯曼先生这次在家待的时间很短。两个星期后，他为了工作上的事儿又去了巴黎。克拉拉感到非常失望，赛斯曼先生安慰她说，再过几天奶奶就会来了。

赛斯曼先生走后不久，家里就收到了一封信。信上说赛斯曼老夫人已经出发了，第二天就能到，并告知了预计到达的时间，好让家里派车去车站接她。

克拉拉知道了这个消息，欢欣鼓舞。当天晚上，她就喋喋不休地给海蒂讲述了很多关于她奶奶的事情。她讲了无数次“奶奶”，弄得海蒂也开始跟着她习惯性地直呼起“奶奶”来了。这个称呼招来了罗藤梅尔小姐责备的目光。但海蒂没有在意，因为罗藤梅尔小姐用那种眼神看她是常有的事情，所以海蒂早就见怪不怪了。

但是那天晚上，海蒂准备回房睡觉的时候，罗藤梅尔小姐还特意叫住了她，告诉她以后不许喊赛斯曼老夫人“奶奶”。“你要称呼她为‘夫人阁下’，明白吗？”海蒂很不解，因为“夫人阁下”这个称呼听起来太怪了。她到目前为止听到的总是“夫人”或“先生”放在称呼的后边，所以照她的理解，正确的称呼应该是“阁下夫人”。她很想问问女管家到底怎么念，可一对上罗藤梅尔小姐那严厉的目光，也就不敢再多说了。

第二天，赛斯曼家一片繁忙的景象，大家都带着热切的期盼，紧张地为赛斯曼老夫人的到来忙碌着。可见，即将驾临的老夫人是这个家里德高望重的人物。蒂奈特还特地戴了顶崭新的小白帽。塞巴斯迪正收集所有能找到的小脚凳，把它们一一放在合适的地方，以便老夫人无论在哪里坐下，都能随时把脚放到脚凳上。罗藤梅尔小姐则昂首挺胸，四处查看，那模样像是在宣告，即使这个家马上就会来个执掌大权的竞争对手，也绝不意味着她将会丧失权威。

一辆气派的四轮马车缓缓驶到了门口，塞巴斯迪和蒂奈特赶快冲下楼去迎接赛斯曼老夫人。罗藤梅尔小姐则不失体面地缓步跟在后面。只有海蒂还待在自己的房间里——她被打发到自己的房间里等着，没有人叫她就不许出来，这是为了让克拉拉小姐能和奶奶单独待上一会儿。海蒂坐在那里，心里来回默念着“夫人阁下”这个奇怪的称呼。她想“夫人阁下”肯定是罗藤梅尔小姐说错了，正确的称呼应该是“阁下夫人”。过了一会儿，蒂奈特从门外探进脑袋，像平时一样冷冰冰地喊道：“喂，到书房去！”

海蒂赶紧跟了出去，她一推开书房的门，就听到一个和善的声音说：“亲爱的孩子，快过来，让我好好看看你。”

海蒂忙走上前去，用清脆响亮的声音问候道：“您好，阁下夫人。”

“你叫我什么？”老夫人一听这话，忍不住笑了起来，“你们在阿尔卑斯山老家那儿是这么叫的吗？”

“不，我们那儿谁都不这么叫。”海蒂一本正经地回答说。

“我们这儿也不这么叫呀。”老夫人又笑了，“对孩子们来说，我是奶奶，你就叫我奶奶吧！”

“那太好了！”海蒂脆生生地说，“我以前一直就是这么叫的。”

“好，好！”奶奶若有所悟地点点头，轻轻拍了拍海蒂的脸蛋，开始仔细打量这个阿尔卑斯山来的少女，看到她明亮的眼睛，红扑扑的小圆脸，实在可爱，不禁又点了点头。海蒂也目不转睛地盯着奶奶，这个老奶奶一脸慈祥，有一头漂亮的银发，戴着一顶精致的蕾丝边帽子，帽子下面飘垂着两根宽宽的缎带，仿佛总有微风吹拂着似的，这让海蒂觉得老夫人更加优雅迷人——总之，老夫人的一切对于海蒂来说都是那样赏心悦目，她马上喜欢上这个新奶奶了。

“你叫什么名字，孩子？”奶奶问。

“我叫海蒂。不过，她们又给我起了个名字叫阿尔菲特，如果您这么叫我，我也会答应的。”就在这时，罗藤梅尔小姐走了进来，海蒂马上住口了，因为她想起每次罗藤梅尔小姐喊“阿尔菲特”时，她都反应不过来是在叫自己，往往应答得不及时。

“老夫人，这是有原因的，”罗藤梅尔小姐接过话来，“我想该叫她正式一点的名字，至少在仆人们面前应该这样做。”

“我可爱的罗藤梅尔，”赛斯曼老夫人微笑着说，“要是这孩子听惯了别人叫她海蒂，那就还是叫她海蒂吧。好，就这样定了！”

罗藤梅尔小姐对赛斯曼夫人的一锤定音感到非常恼火，但也无可奈何。这位老夫人一向特立独行、我行我素，更何况，她聪颖敏锐，家里发生的任何事情都逃不过她的眼睛，和她作对是没有好处的。

这一天下午，克拉拉照常躺下休息。奶奶只是坐在她旁边的椅子上小憩了一会儿，之后就很有精神地站起身来，走进了餐厅，想看看海蒂是不是在餐厅玩耍——可那里空无一人。

“她可能睡了吧。”奶奶这样想着，就向罗藤梅尔小姐的卧室走去。她用力地敲了敲门。过了一会儿，罗藤梅尔小姐开门走了出来，见是赛斯曼老夫人，很是吃惊。

“打扰你休息了，我是想来问问海蒂现在在哪儿？午饭后她一个人都会做什么？”赛斯曼老夫人说。

“在她自己的房间里坐着。”罗藤梅尔小姐回答道，“在那里，她还可以做些对自己有用的事儿，想做什么就做什么。不过，老夫人您不知道，这小东西的想法和行为实在荒唐，她的那些事儿在咱们上流社会里真是难以启齿。”

“我要是像她那样一个人被孤零零地关在屋子里，也不一定会做出什么事情来呢。去把那孩子领到我房间里来！我带来几本好书要送给她。”

“书？”罗藤梅尔小姐马上惊慌失措地紧扣双手，叫了起来，“书对她没用！自她来这儿的这么长时间里，她连字母表都没学会，根本就没办法让她入门。这点，您可以去问老师厄歇尔先生。要不是他像圣人一样耐心，早就放弃给她上课了。”

“啊？那就奇怪了。那孩子看起来一点儿不笨！”赛斯曼老夫人说，“不管怎么说，去把她带来吧。她至少可以看看书上的图画吧。”

罗藤梅尔小姐还想说些什么，可赛斯曼老夫人已经转过身，快步向自己的房间走去了。老夫人现在很纳闷：海蒂怎么连那么简单的东西都学不会？她不想问厄歇尔先生——虽然那位老师是个不错的人，可她实在受不了他那种冗长啰唆的说话方式。赛斯曼老夫人决定自己去一探究竟。

海蒂来到奶奶的房间，一看见奶奶带来的那些大书上绘有各式各样、五颜六色的图画，惊讶地睁大了眼睛。奶奶每翻一页，她都要惊奇地叫出声来。突然，她看到了一幅特别的画，看着看着，她抽泣起来，随后竟然放声大哭，晶莹的泪珠爬满了可爱的小脸蛋。奶奶吓了一跳，赶快仔细瞧了瞧那幅图画，画面上是一片美丽的绿色牧场，各种各样的小动物正怡然地吃着青草；一个牧童站在中间，倚在一根长棍上，望着那些快乐的小动物；一切都沐浴在金色的阳光下，一轮夕阳正缓缓落下。

奶奶握住海蒂的手，慈爱地说：“来，孩子。别哭了。这幅画儿一定是让你想起了什么，可是，你看，这画儿还配有一个美妙的故事呢，今天晚上我就讲给你听，好吗？这书里还有好多有意思的故事呢。来，把眼泪擦干，咱们俩说说话吧。来，坐这儿，这样奶奶就能好好看看你了。这就对了！”

奶奶这样耐心地安慰着海蒂，过了好一会儿，海蒂才停止了哭泣。赛斯曼老夫人看海蒂已经慢慢地平静下来，松了口气，说道：“好了，这才是好孩子。现在，咱们好好聊聊吧。先告诉奶奶，你上学上得怎么样？学会了什么？”

“什么也没学会。”海蒂叹了口气说，“我早就料到了，我根本学不会。”

“什么东西学不会呢，海蒂？你指的是什么？”

“朗读，我学不会朗读，那太难了。”

“你怎么会这么想呢？”

“是彼得告诉我的，他学了又学，可就是学不会。这么难的东西，我一定也学不会。”

“彼得肯定和你一样，是个奇特的孩子！可是，海蒂，不能彼得说什么你就信什么啊。你要自己试试才行。我想，厄歇尔先生给你上课时，你的心思就没在那儿吧？”

“在那儿也没有用。”海蒂灰心丧气地说。

“听我说，海蒂，”奶奶说道，“你是听了彼得说的话，才一直没有认真地学习朗读。现在，你得相信奶奶说的话了——用不了多久，你就能读得相当好了，你会跟大多数孩子一样，而不是像彼得那样。只要你会读书了，我马上就把这本好看的书送给你。你看，书里有片美丽的绿色牧场，上面还有个牧羊人。那时，你就能看懂这上面的故事了，知道这牧羊人和他的小动物们都做了些什么，遇到了什么有趣的新奇事儿。你一定想知道这些吧，海蒂？”

海蒂全神贯注地听着，两眼闪闪发光。这时，她又叹了口气说：“要是我现在就会朗读，该有多好啊！”

“一定会的！学会这些用不了多久。好了，现在咱们该去克拉拉那儿看看了。来，我们把这些书也带上吧，她看了也会高兴的。”说完，奶奶牵着海蒂的手，一起向书房走去。

学会朗读

新奶奶虽然对海蒂很好，但海蒂的心事却也越来越重了。这都是有原因的：自从海蒂那天打算收拾行李回家，却在门口被罗藤梅尔小姐拦住，还被她骂忘恩负义时，海蒂的内心就留下了阴影和压力。她已经明白了，蒂提姨妈当初对她做的承诺都是哄她的，什么“想什么时候回家就什么时候回家”，都是谎话！她现在得在法兰克福待上好长一段时间，甚至可能是一辈子。除了明白了这个残酷的事实，海蒂还多了一层顾虑，那就是罗藤梅尔小姐口中的那个可怕的词——忘恩负义：是啊，如果她流露出一点想回家的念头，赛斯曼先生一定会觉得她是个忘恩负义的孩子，或许新奶奶和克拉拉也会那么想的。有了这些担忧，海蒂再也不敢对任何人说出她内心的感受，只能自己默默地忍耐。渐渐的，她有了心病：吃不下饭——一看见白面包，她就想起彼得的奶奶；睡不好觉——一到夜里，她就会想起高山牧场的鲜花和阳光，继而辗转反侧，难以入眠，可是即使睡着了，她也还是会梦见夕阳下的雪原和岩石。早晨一觉醒来，她的第一反应就是从阁楼上爬下梯子，去外面看看。可是接下来，她就会想起来，自己现在不是在高山牧场，而是躺在法兰克福柔软的大床上。这儿确实很好，柔软的大床，豪华的家具，可是海蒂不在意这些，这儿离家那么遥远，她也许根本就回不去了。一想到这儿，海蒂就忍不住把头埋在枕头里偷偷地哭泣，还生怕别人听见。

这样一天天地吃不好、睡不好，她的脸色也跟着日渐苍白了。其实，她心事重重的样子并没有逃过奶奶的眼睛。但奶奶还想给她一点儿时间，看看这孩子能不能自己调整过来。可惜的是，事情并没有出现转机，海蒂依然是郁郁寡欢的样子，一连几个早晨，脸上都挂着泪痕。奶奶不由得担心起来了。这一天，奶奶把海蒂叫到自己的房间里，和蔼地对她说："来，海蒂，跟奶奶说说。你怎么了，有什么伤心的事儿吗？"

可是，海蒂不想让奶奶知道，怕她知道真相后会认为自己是个忘恩负义的人，怕她从此以后再也不对自己那么好了。于是，她难过地说道："我不能告诉您。"

"不能告诉我？那，能告诉克拉拉吗？"奶奶问她。

"也不能，谁都不能告诉。"海蒂愁容满面，奶奶看她这副样子，心疼不已。

"来，孩子，"奶奶拉住海蒂的手，温柔地说，"听奶奶跟你说，如果我们遇到难处，还不能跟任何人说的时候，我们就应该向心里的那个上帝诉说，充满希望地请求他给予你庇佑，按照他的指示去努力解决你的问题，总能有办法重新快乐起来的。"

海蒂的眼睛一亮："我能把所有的事情都告诉他吗？任何事情都行吗？"

"当然，任何事情都行。"

海蒂连忙把手从奶奶温柔体贴的手心里抽了出来，急切地说道："我现在可以走了吗？我等不及要去问问心里的上帝，该怎么走出现在的困境了！"

"当然可以，快去吧！"奶奶回答说。

海蒂跑回自己的房间，坐到小凳子上，合起双手。她按照奶奶的话，一股脑地将所有伤心的事儿全都告诉了上帝，并祈求上帝帮助自己尽快回到爷爷的身边。很快，她就茅塞顿开了：现在这样哭哭啼啼，是根本不可能回到爷爷那边去的。她不光要好好表现，争取回家的机会，还要让爷爷和彼得的奶奶看到一个不一样的自己——一个学会朗读的自己！

大约又过了一个星期，这天早上，厄歇尔先生激动地按响了赛斯曼家的门铃，语气急迫地说要见见赛斯曼老夫人，还说有一件很重要的事情要跟她相谈。他一走进赛斯曼老夫人的房间，赛斯曼老夫人就客气地向他伸出了手。"厄歇尔先生，欢迎您到我这里来！请进来坐！您要跟我说什么事？应该不是坏事吧。"

"恰恰相反，夫人。"老师开口说道，"是一件可以说令我惊喜的事！一件我很久以前就不抱希望的事，一件没有人能料想到的事，可是现在，这件事却真的发生了！简直不可思议！"

"你是想告诉我海蒂终于学会了朗读吗？"赛斯曼老夫人忍不住打断了厄歇尔先生啰唆的铺垫。

"是的！之前，不管我费多大的劲，她还是连最简单的字母都学不会。我几乎已经决定放弃了，由着她用自己的方式去记忆，不再多管了。可是，这孩子居然一夜之间就学会了字母，还学会了朗读——而且读得非常准确，这个掌握知识的速度在初学者中都是极其罕见的！简直不可思议！”

“是的，不可思议的事情时有发生。”赛斯曼老夫人欣喜地微笑着说道，“也许是因为这孩子有了新的学习热情，学习劲头很足。不管怎样，我们该为她如此巨大的变化而感到高兴，希望她今后能取得更大的进步。”

说着，赛斯曼老夫人和老师一起走出房间。与老师分别后，老夫人快步走进书房去亲自证实这个可喜的消息。可不是吗？此刻，海蒂正坐在那里给克拉拉大声地读着故事呢。显然，海蒂已经陶醉在一片对她渐渐展开的全新世界里，她惊喜地面对着那些从黑色铅字中迎面而来的人和事，感受着他们鲜活的生命和那些动人心扉的故事。

这天晚上吃晚饭的时候，海蒂发现她的座位边上放着那本带有精美插图的大书，便向奶奶投去询问的目光。奶奶迎着她的目光，慈爱地点点头说：“对，它现在是你的了。”

“永远属于我吗？我回家也可以带走吗？”海蒂问道，兴奋得满脸通红。

“当然啦！永远都是你的了！”奶奶回答道，“明天我们就开始读这本书吧。”

“不过，你暂时还不能回家！”这时克拉拉插话道，“奶奶很快就会走的，到时，我会更需要你的。”

那天晚上，一直到睡觉前，海蒂都舍不得放下那本心爱的

图画书。不光如此，从那天开始，她最大的快乐就是埋着头反复阅读那些附有漂亮彩色插图的故事书。到了晚上，大家坐在一起时，奶奶也常常会说："来，让海蒂给咱们读书吧。"海蒂为此非常自豪。在大声朗读时，她似乎更容易理解故事的内容，奶奶也会随时进行一些必要的讲解。

海蒂最喜欢的是一个有关牧童的故事，就是那个她第一次看到插图时号啕大哭的故事。她反复读，甚至记住了那个故事的每一句话。她现在已经知道那个故事的内容了：一个牧童在阳光沐浴下的牧场上快乐地看管着他爸爸的羊群，就跟以前海蒂在山上看到彼得的情景一样。可是，接下来的那幅插图讲的是牧童离开了爸爸，从家里跑了出去，在很远的地方以放猪为生，每天只能吃些残羹冷炙。这一幅插图中的太阳不像上一幅那样金光闪闪，大地也一片灰暗、雾气沉沉；牧童更是变得面色苍白、骨瘦如柴。故事的最后一幅插图中，悔过的儿子衣衫褴褛、疲惫不堪地返回故乡，年老的爸爸正从屋子里跑出来，张开双臂，迎接归来的儿子。这是海蒂最喜爱的故事，不知读了多少遍。

除了这个故事以外，书里还有很多美妙的故事和精美的插图，伴随着这些美丽的故事，日子飞一般地过去了。转眼，就到了奶奶准备动身离开的时候。

思乡之苦

在奶奶来访之前，海蒂的午休时间都是一个人孤零零地度过的。而现在，奶奶会先在克拉拉的身边坐上一会儿，然后把海蒂叫到自己的房间，同她聊聊天，变着法儿地逗她开心，可以说是用心良苦。

奶奶带来了很多漂亮的玩具娃娃，她会给海蒂演示怎么给娃娃做衣服和围裙。海蒂跟着奶奶做游戏，在不知不觉中渐渐学会了针线活儿。她很聪明，很快就能用奶奶给她的那些五颜六色的碎布头给娃娃们做漂亮的裙子、外套和围裙了。有时，奶奶会让海蒂大声地朗读故事，这给海蒂带来了比做娃娃更加倍的快乐。书里的那些故事，她越读越喜欢，常常沉醉于故事的情节之中，和故事的主人公们一同经历喜怒哀乐。也只有进入到这些故事人物中间，海蒂才会暂时忘却心中的忧伤。在法兰克福，她从来没有真正地快乐过，往日亮晶晶的眼睛渐渐失去了往日的光彩。

还有一个星期，奶奶就要离开法兰克福了。这一天，克拉

拉躺下休息后，海蒂像平常一样手里拿着那本大书来到了奶奶的房间。这一次，老夫人没有让她马上念故事，而是把书放到一边，将海蒂拉到自己的身边，对她说：

“亲爱的孩子，告诉我，你为什么闷闷不乐的？还是老问题吗？”

海蒂神色黯淡地点点头。

“你按照我说的那样，对心里的上帝倾诉了吗？”

“我已经那样做了。”

“你是每天都向上帝祈祷，让他指引你寻找幸福和快乐吗？”

“不，我现在不祈祷了。”

“为什么呢？”

“因为那根本就没有用！”海蒂激动起来，忍不住提高了音量，“上帝根本听不到我说的话。仔细想想，每天晚上法兰克福有那么多人同时都在祈祷，上帝不可能注意到所有的人，他肯定没有听见我说的话。”

“你怎么会这么肯定呢，海蒂？”

“我每天都做同样的祷告，一连好几个星期，可上帝什么也没做呀！”

“不是这样的，海蒂！上帝知道什么对我们才是最好的，而我们自己却身在困境中，全然不知。如果我们内心所希求的其实是对我们不好的东西，上帝是不会允许的；但只要我们坚持奉行上帝希望我们所拥有的那些正确的生活态度，他就会赐给我们更好的东西。所以说，你现在向上帝祈祷的，可能眼下对你并不好，所以他没有答应你。但是，上帝已经听到了你心中的愿望，他肯定早就知道什么是对海蒂有好处的。现在，他一定在想：我以后一定要实现海蒂的愿望。不过，那要等到她调整好自己的心态，学会更多对她有益的事情后。如果我现在就成全海蒂的心愿，她什么东西都学不到，就算愿望实现了，她以后也会后悔的。海蒂，你看，上帝一直在关注着你，你永远不要怀疑这一点。现在，他是在考验你，看你能不能坚信心里的乐观和坚强，学习更多的东西，为心愿实现的那一天做好准备。可是，你现在呢？你似乎一味沉浸在了悲伤里，自暴自弃了。孩子，如果你继续这样，上帝就真的再也听不到你的愿望了，只会由着你去自怨自艾。海蒂，你是愿意变成被生活抛弃的人，还是愿意立刻重拾信心，为了自己的愿望努力、积极地生活呢？”

海蒂凝神静气地听着，把奶奶的每一句话都记在了心里，因为她对奶奶充满了信任。

“我马上就去向上帝祈求，按照他的指示好好努力，我再也不会像这些天来这样了。”海蒂后悔地说道。

“真是个懂事又聪明的好女孩儿！”奶奶鼓励她说。

于是，海蒂立刻跑回自己的房间，充满勇气地祈求上帝不要忘记自己，并赐福于自己。

奶奶离开的日子终于到了，这对克拉拉和海蒂来说是个伤心的日子。尽管奶奶一直想着法儿逗她们俩高兴，但载着奶奶远去的车轮声渐渐模糊起来，赛斯曼家气派的大房子也随之变得冷清、沉寂了，两个孩子失魂落魄，不知所措。

第二天傍晚，海蒂拿着书，走到克拉拉的房间，“克拉拉，我给你读书好吗？”

克拉拉正觉得烦闷，马上高兴地让海蒂坐在自己身边念故事，海蒂开始充满激情地读了起来。可是，没读多久，她就停了下来。原来故事的主人公是位奄奄一息的老奶奶，海蒂实在难以接受，便大哭起来，呜咽着说：“奶奶死了！”对她来说，她读的任何故事完全就是真实发生的现实，她真的以为高山牧场上彼得的奶奶死了。海蒂哭得越来越凶，不住地哀叹道：“奶奶死了！我再也见不到她了。她还从没吃过白面包呢！”

克拉拉不停地跟她解释说这个故事里的奶奶不是彼得的奶奶，而是另外一个奶奶。可是，海蒂的心情过于激动，虽然克拉拉最终使她明白过来，但她仍很难平静下来，仍旧大声地哭着，而且越哭越伤心。因为这个故事让她想到，自己离家那么远，彼得的奶奶和自己的爷爷也许会在她还没回去之前就死去。那样的话，当她有朝一日回去后，就会发现物是人非，她再也看不到她所爱的人了。

不知什么时候，罗藤梅尔小姐已经走了进来，静静地在那里听着克拉拉劝慰海蒂。可当她看见海蒂仍不停地抽泣时，便不耐烦起来了，恶狠狠地对海蒂说：“阿尔菲特，马上给我安静下来！如果再让我见到你给克拉拉读书时吵吵嚷嚷的，我就没收你的书，再也不给你了！”

这一招立刻起了作用，海蒂吓得脸色煞白。这本书对她来说可是最宝贵的财富啊！她赶紧擦去眼泪，强忍住抽泣。从那以后，海蒂无论读什么书都不敢再哭了。但有时，她不得不竭尽全力去压抑自己强烈的感情，这会使她的表情变得非常怪异，常常吓到克拉拉：“海蒂，你怎么会做出这样奇怪的表情！”不过，这样倒不会引起罗藤梅尔小姐的注意和训斥了。海蒂就这样时刻忍受着极度的悲伤，好让赛斯曼先生家里维持勉强的风平浪静。

渐渐地，她的胃口越来越差，人变得瘦弱憔悴。吃饭时，即便是再美味的东西，她也不愿意吃。塞巴斯迪看在眼里、疼在心里。他常常把美味的食物递过去，小声地说："小姐，就尝一点儿吧。味道可好了……不够，不够，对，再来满满一勺！"可即使是这样哄着也无济于事。海蒂几乎什么都不吃。

晚上，只要她一躺下，家乡一切美好的情景就会一幕幕地展现在她的眼前，惹得她泪流满面，枕头总是湿漉漉的。

这样又过了很长一段日子。在法兰克福，海蒂简直分不清春夏秋冬。透过赛斯曼家的窗户，海蒂看到的墙和房子永远是一个样。她也很少有机会出门，只有在克拉拉身体好的时候，她才能陪着一起乘着马车出去转悠一会儿。但也仅仅是一小会儿，因为克拉拉的身体受不了长时间的颠簸。因此，几乎每次，所谓的出游都只是在邻近的街道上转一转，一见到城墙就马上折回头。海蒂所能看到的也仅仅是硬邦邦的石头房子和匆匆忙忙的人群，根本看不到一根草、一朵花、一棵树，更不要提看到什么大山了。她是多么渴望看到从前高山牧场上那熟悉而美丽的景色啊，如此一来，海蒂思乡的情绪一天比一天强烈了。现在只要一读到和牧场、家乡有关的文字，她就会热泪盈眶，可又不得不强忍着这股悲伤，不让眼泪流下来。

就这样，秋天和冬天在痛苦中过去了。海蒂看着映在对面房子墙壁上的阳光，静静地想：彼得赶着羊群到高山牧场放牧的季节又快要到了吧。那时，山上群花怒放，山峦在晚霞中熠熠生辉，小雪欢快地奔跑、吃草……她叹了一口气，双手捂住眼睛，不愿再看到对面墙上的阳光。她就这样一动不动地坐在那儿，孤独而沉默地忍受着思乡的煎熬，直到需要出去再次陪伴克拉拉的时候。

家中有小鬼（上）

闹鬼了！

最近，赛斯曼家发生了一连串稀奇古怪的事情。每天早晨仆人们起床下楼时，就会发现大门总是敞开着的，可谁都说自己没开过门。头两天，大家还以为是家里进了小偷，白天在家藏着，晚上在府上偷东西。于是大家赶紧把所有的房间挨个仔细查看了一遍——连角落也不放过——看丢了什么东西，结果查明什么也没丢。打那以后，为了安全起见，夜里大门不但上了两道门闩，还特意加了根木杠顶着——然而，这也无济于事，无论仆人们第二天起得多么早，大门还是敞开着的。正因为如此，罗藤梅尔小姐在屋里走动总是神经质地三步一回头，有一点儿风吹草动就以为是有人在跟着自己。她也不敢独处了，走到哪里都要叫上蒂奈特。其他仆人也一样，总是找各种理由邀请别人和自己一起做事，无论如何就是不愿意落单。

在罗藤梅尔小姐三番五次的请求后，家里的两位年轻男士——约翰和塞巴斯迪终于出动了。他们决定在楼下大厅隔壁的房间熬个通宵，看看究竟夜里会发生什么事情。罗藤梅尔小姐给他们找来了赛斯曼先生的各种武器，还给了塞巴斯迪一大瓶酒，让他们俩借酒壮胆。

当天晚上，两个人一坐进房间就开始豪饮。起初，两个人借着酒意，一直聊个不停，但不一会儿，醉意和困意一起席卷而来，他们俩马上靠在椅背上昏昏欲睡了。直到午夜十二点的钟声敲响，塞巴斯迪才先从睡梦中惊醒，打起精神，赶忙去叫他的同伴。可约翰心大得很，睡得人事不省，任塞巴斯迪怎么推来搡去，他就是醒不过来。这一折腾，塞巴斯迪倒是完全清醒过来了。他想起了罗藤梅尔小姐的委托，马上警觉地竖起耳朵，开始倾听周围的动静。四周一片寂静，连大街上也是静悄悄的，不知为何让人心里发毛。塞巴斯迪再也睡不着了，他甚至不敢发出太大声音叫约翰，只是轻轻地推推他。就这样，直到外面传来凌晨一点的钟声时，约翰才终于醒过来了。他愣了好一会儿，才反应过来自己身上的任务，便立刻腾地站起来，一脸英勇无畏地说："咱们现在就出去看看有什么情况。别害怕，跟着我！"

说完，约翰就一手拿起蜡烛，一手推开虚掩的房门，走了出去。突然，一阵冷风从敞开的大门吹了过来，吹灭了蜡烛。他猛地缩了回来，差点将紧跟其后的塞巴斯迪撞倒。但约翰根本顾不上道歉，而是一把关上房门，飞快地上了锁，然后哆哆嗦嗦地掏出火柴，重新点亮了蜡烛。塞巴斯迪看着他惊慌失措的样子，一头雾水，他刚才跟在身材高大的约翰后面，什么也没看见，甚至没有感觉到那阵风。而此时，他借着烛光定睛一瞧，看到约翰昔日红润的脸颊如今却白得像纸，身体还像风中的柳条一样抖个不停。

"怎么了？你看到了什么？"塞巴斯迪焦急地问道。

“前门……前门大开着，”约翰颤抖着双唇结结巴巴地说，“楼梯上还……还有个白色的人影，忽地就不见了。”

塞巴斯迪听了这话，脊梁骨马上生出一股凉意。两个人不敢再说话了，一起坐了下来，紧紧地靠在一起，一动也不敢动。直到天色大亮，外面的街上又有了行人走动的声音，他们俩才鼓足勇气，一同走出房间，使劲关上了洞开的大门。做完这些，他们马上跑到楼上，向罗藤梅尔小姐汇报了昨晚的情况。罗藤梅尔小姐听了他们的描述，差点昏过去，马上给赛斯曼先生写信。在信里，她告诉赛斯曼先生自己已经吓得连笔都拿不稳了，请他读了信后立即动身回家，因为家里发生了一件前所未闻的怪事儿。然后，她把昨晚发生的事儿和每天早上大门都无端敞开的情况添油加醋地叙述了一遍，说全家人都睡不安稳，不知道这之后还会发生什么可怕的事情。

赛斯曼先生很快回了信，但语气轻描淡写，说自己业务繁忙，实在抽不出时间回家，而且，他对这次闹鬼事件表示莫名其妙。他还建议，如果所谓的鬼怪再来骚扰宅院，就让罗藤梅尔小姐写信告诉老夫人，请她回法兰克福帮忙。他相信，老夫人一定会在最短的时间内驱除鬼怪，重新恢复家宅的安宁。

罗藤梅尔小姐对这封信的语气很不满，觉得赛斯曼先生不够重视这件事情。不过她还是听取了建议，立刻写信给赛斯曼老夫人，可是老夫人的回信也是一样的态度，甚至还有几分讽刺。她在信上说，自己可不愿意大老远从荷尔斯泰因赶到法兰克福去，就为了帮罗藤梅尔驱走一个根本不可能存在的鬼。再说，赛斯曼家的宅院里从未闹过鬼，要说现在有个鬼在那里转悠的话，只可能是个活鬼，以罗藤梅尔小姐的能力应该对付得了。如果连管家应付不了的话，这事情也只能由警察管了，更轮不到她一个老夫人来处理。

到目前为止，关于家中闹鬼的事儿，罗藤梅尔小姐没有在两个孩子面前透露过半点儿风声，生怕她们知道了会吓得又吵又闹，白天、黑夜都要人陪着，那她这个管家可真是自找麻烦了。但是，她也不想再这样提心吊胆地过日子了。为了让赛斯曼先生赶快回家来，她不得不使点儿计谋了。于是，罗藤梅尔径直走进两个孩子所在的书房里，用嘶哑的声音低声讲述了夜里家中闹鬼的事情。克拉拉一听就尖叫起来，说自己再也不敢一个人待着了，一秒钟都不行。“爸爸必须马上回来！”她是真的害怕极了，“海蒂也不能一个人睡，否则鬼怪会去伤害她的。大家都睡到一个房间里，通宵都点着灯。蒂奈特到隔壁的房间睡，塞巴斯迪和约翰到楼上的走廊里过夜，这样鬼怪一上楼梯，他们就能及时把它吓跑。”

克拉拉太激动了，罗藤梅尔小姐费了好大的劲儿才让她镇静下来。“我立刻就给你爸爸写信，”罗藤梅尔小姐马上答应她，心中暗喜，“我把床搬过来陪你一起睡，但是不能让所有的人都睡在一个房间里。如果阿尔菲特害怕的话，可以让蒂奈特搬过去给她做伴。”海蒂从未听说过鬼怪的事情，而且她觉得那个凶巴巴的蒂奈特要比鬼怪更可怕，所以连忙说自己不怕鬼，要继续一个人睡。于是，罗藤梅尔小姐回到自己的房间，坐到写字台前，认认真真地给赛斯曼先生写了第二封信。她用极其严肃的口吻说：那件可怕的怪事依旧夜夜发生，恐怕已经严重影响到克拉拉本就虚弱的身体。她在信中写道："极度的惊恐可能会引起克拉拉痉挛，甚至会害她患上癫痫症。"

这个办法的确奏效。两天后，赛斯曼先生就出现在了自家大门前，使劲地按着门铃。他的动静太大了，以至于吓了家中所有人一跳，他们还以为鬼怪已经胆大妄为到敢在光天化日之下跑出来作乱了。塞巴斯迪战战兢兢地从楼上一扇半开的百叶窗向外窥探。这时，又响起一阵急促、震耳的铃声。毫无疑问，这门铃一定是人按响的。塞巴斯迪已经认出了那只按门铃的手，他连忙跑出房间，下楼的时候还差点儿摔了个倒栽葱。门开后，赛斯曼先生顾不上和他打招呼，直奔女儿的房间。

见到爸爸回来，克拉拉喜出望外。看见女儿还像平常一样活泼，并没有什么异常，赛斯曼先生这才放下心来。克拉拉告诉爸爸自己很好，见他回来特别开心，并说多亏家中的鬼怪把爸爸叫回了家。

"罗藤梅尔小姐，所以这两天里，那个鬼怪又耍了什么新花招吗？"赛斯曼先生有些调侃地问女管家。

"暂时还没有，先生，"罗藤梅尔小姐严肃地回答道，"不过，这可不是开玩笑。我想，明天早上您一定就笑不出来了。我认为，这个宅院里以前一定发生过什么不为人知的怪事儿。"

"不许对我尊敬的先辈不敬！"赛斯曼先生严肃地说，"请把塞巴斯迪叫到餐厅来，我想和他单独谈谈。"他早就察觉到塞巴斯迪和罗藤梅尔小姐关系并不好，因此怀疑这一切都是塞巴斯迪在暗地里搞鬼。

"小伙子，到这边来，"赛斯曼先生冲着走进来的塞巴斯迪招招手，等塞巴斯迪走近了，才压低声音说，“别怕，你老实告诉我，是不是为了捉弄罗藤梅尔小姐才装神弄鬼的？”

“不不不，先生，现在您说什么也得相信我。出了这种事，我和她一样吓得要命啊。”塞巴斯迪连连摆手，赛斯曼先生看着他脸色苍白、惊慌失措的样子，知道他说的是真话。

“好吧，那我就让你和那位勇敢的约翰看看，你们说的鬼在光天化日之下到底是什么样子。说来真是丢人，一个年轻力壮的小伙子居然会被莫名其妙的什么小鬼吓破了胆！现在，你马上到我的老朋友克拉森医生那里去一趟。请他今晚九点务必准时到我这里来。告诉他，我是特意从巴黎赶回来，有要事需要他帮忙，今晚要留他在家里过夜，请他有所准备。明白了吗，塞巴斯迪？”

“明白了！我这就去。”说完，塞巴斯迪跌跌撞撞地跑了出去。

家中有小鬼（下）

和塞巴斯迪沟通过后，赛斯曼先生马上回到了他的宝贝克拉拉那儿，安慰她不要害怕，还保证今晚就能把闹鬼的事情查个水落石出。

晚上九点整，孩子们已经上床睡觉了，罗藤梅尔小姐也回到了自己的房间，克拉森医生接到邀请，也准时到了。他是一个头发花白的老人，但气色很好，一双炯炯有神的眼睛透着友善。他刚进来时，表情很是紧张，但一看到赛斯曼，就爽朗地大笑起来，还上前拍拍老朋友的肩膀说道：“哎呀，快看看，一个需要我通宵看护的家伙，精神倒是看上去不错嘛。”

“我一向如此的，我的老伙计，”赛斯曼先生回答道，“而你要通宵守候的是另外一个人。我敢保证，那家伙要是被抓住了，一定不会像我一样看上去这么精神了。”

“这么说，家里真有一个病人，还是一个需要被抓起来的病人，嗯？”克拉森医生惊讶地说。

“怕是比这更糟！”赛斯曼先生表情严肃地说，“是鬼！我的房子闹鬼了！”

医生一下就笑了。

“你居然还笑得出来，真是没有同情心，”赛斯曼先生责怪道，“幸好，罗藤梅尔小姐没听到你的笑声。她可是坚信我府中有位祖宗在走廊里徘徊呢。”

“那她是怎么认得你的老祖宗的？”医生问道，仍轻声地笑着。

于是，赛斯曼先生把他所知道的事情都告诉了他的老朋友，并补充道：“为安全起见，我已经在我们俩要捉鬼的房间里放上了两把装满子弹的左轮手枪。如果这只是个恶作剧，是家仆的哪个朋友趁我不在家时来吓唬家里人的话，咱们就放空枪吓唬吓唬他，也不会伤到人。如果真是窃贼在行窃前装神弄鬼，咱们手上最好是有把枪。”

赛斯曼先生一边说着一边把医生领到楼下用来守夜的屋子里，也就是约翰和塞巴斯迪曾经熬夜的那个房间。房间里的桌子上摆着两把手枪和一瓶上好的葡萄酒——他们要在这儿熬一整夜，得时不时靠它来提提神。房间里还有两个烛台，每个烛台上点着三支蜡烛，明亮的烛光把房间照得通亮。赛斯曼先生可不愿意在黑暗中等待鬼怪出现。他把门关好，以免亮光外泄到走廊，把鬼怪吓跑了。接着，两个人就舒舒服服地坐在安乐椅上，海阔天空地畅聊起来。他们也很久没见了，正好喝着葡萄酒叙叙旧。不知不觉，午夜十二点的钟声已经敲响了。

“看来那鬼听到了我们的风声，今晚不会来了。”医生说。

“我们得再等等。据说不到凌晨一点鬼怪是不会现身的。”赛斯曼先生答道。

他们又接着聊了一个钟头。四周寂静无声，大街上也听不到一点儿动静。突然，医生伸出一个手指：“嘘，赛斯曼，听到什么了吗？”

两个人竖起耳朵，清楚地听见门闩拉开、钥匙转动、大门打开的声音。赛斯曼先生伸手去抓手枪。

“怎么，你害怕吗？”医生平静地问道。

“倒不至于害怕，但还是小心点好。”赛斯曼先生小声回答。

他们二人都一手拿着蜡烛，一手拿着手枪，一起走到走廊里。惨淡的月光从敞开的大门照进来，照向那个站在门槛上一动也不动的白色身影上。

“是谁？”医生大喝一声，声音在走廊里回荡。两个人的心都提到了嗓子眼，同时高举蜡烛，紧握手枪，向那个白色人影靠近。而那个人影听到声音，缓缓地转过身来，看到手枪，也发出了一声低低的惊叫。

赛斯曼先生惊讶地睁大了眼睛——

是海蒂！

居然是她。她穿着白色睡衣，光着脚站在那儿，用迷惘的目光望着明亮的蜡烛和手枪，浑身上下瑟瑟发抖，就像风中一片瘦弱的枯叶。赛斯曼先生和克拉森医生都大吃一惊，面面相觑。

“这不是以前给你打水的那个孩子吗？”医生问道。

“孩子，你在这里干什么？”赛斯曼先生问她，“为什么要下楼呢？”

海蒂站在他面前，面色和睡衣一样的苍白。她用几乎听不见的声音回答说：“不知道。”

这时，富有经验地医生走上前来，说：“我想，这事儿该由我来处理。老朋友，你先回里面坐一会儿。我把这孩子先送回卧室。”说完，他把手枪放在地板上，轻轻地拉起海蒂的手上楼了。海蒂浑身仍抖个不停，医生和颜悦色地安慰她说：“别怕，小姑娘。放心吧！什么事儿也没有。”

进了海蒂的房间，医生把蜡烛放在桌子上，把她抱上床，仔细地为她盖好被子，然后坐到她床边的一把椅子上，等海蒂慢慢平静下来，他温和地握起海蒂的手，柔声细语地问道：

“现在感觉好多了吧？可不可以告诉我，你刚才是想去哪儿？”

“哪儿也不想去，”海蒂冰冷的小手被握在医生温暖的手心里，“我不知道我已经下楼了，也不知道我是怎么就到了那里。”

“我明白了，”医生说，“可怜的孩子，你是不是做梦了？那个梦是不是很真实？”

“嗯，是的。”海蒂看着医生的眼睛说，“我每天晚上都做同样的梦，梦见我回到了爷爷身边，又听到屋外风吹冷杉的声音。梦中的夜空里，到处都是闪闪发光的星星。我赶忙跑出去，打开茅屋的门——哇，好美啊！可是，每次醒来，我发现自己仍是在法兰克福。”说到这儿，她的喉咙哽住了，她连忙使劲地往下吞咽。

“怎么了？你有什么地方疼吗？”医生问，“头或是背？”

“不疼，只是喉咙这儿总像是压着一块大石头。”

“噢？是不是好像吃了一大块东西咽不下去的感觉？”

海蒂摇摇头：“不是，是那种想大哭一场的感觉。”

“那你有时会大哭吗？”

海蒂的嘴唇颤抖起来：“不，不能哭，罗藤梅尔小姐不准我哭。”

“所以你就总是忍着？你愿意住在法兰克福吗？”

“是的。”海蒂的声音很轻，她虽然给了肯定的答案，可听上去的意思却正好相反。

克拉森医生也听出了弦外之音，他继续问道，“你和爷爷住在哪儿？”

“在山上。”

“那儿的生活应该很无聊吧。”

“不！那儿很美！很棒！”海蒂激动地解释道，但很快就又说不下去了。对家乡的回忆、刚刚经历的惊吓，加上压抑已久的情感，终于突破了这个孩子的自制力。她的眼泪夺眶而出，不禁失声痛哭起来。

医生站起身，轻轻地把海蒂的头放到枕头上。

“痛痛快快地哭吧，这对你没什么坏处。然后，就睡一觉。明天一切都会好起来的。”说完，他离开了海蒂的房间去找赛斯曼先生。此时，他仍在守夜的房间里焦急地等待着。

“好了，听我说，赛斯曼！第一，你照顾的这个孩子得了梦游症。她自己毫无意识，但会每天晚上打开前门，把那些仆人吓得魂不附体。第二，她患了严重的思乡病，再这么下去，就会瘦得皮包骨头了。情况很糟，必须进行治疗了！目前她很焦虑，神经高度紧张，对于这种情况，只有一种方法，就是马上送她回山上的老家去。那孩子明天就得动身回家——这就是我开的处方。”

赛斯曼先生听了这些话，又惊又怕，猛地站起身来，烦躁焦急地在房间里踱来踱去。突然他大声说道：

“梦游！思乡！皮包骨头！她在我家里受了这么多的苦，竟然没有一个人发现！她来的时候可是一个面色红润、活蹦乱跳的小女孩啊！如果我把变得又瘦又弱的孩子送回到她爷爷那里去，那家人会怎么想我？不，那绝对不行！医生，我现在把这个孩子交给你，你医术高明，由你治疗，她一定会好起来的。不论你用办法，一定要把她给我重新变回一个健康快乐的孩子。那时候，她要是想回家，我再送她回去。”

“赛斯曼，”医生用严肃的口吻说，“你冷静点儿，这可不是开个什么药就能治好的病。这孩子现在身体虽然不好，但主要得的是心病。如果马上把她送回她梦寐以求的家乡，她很快就会完全恢复健康的。如果还强行把她留在这里的话，以后你就是想让她回去，怕也是回不去了。”

赛斯曼先生吓得停下了脚步。

“如果事情真的如此严重的话，医生，我会照你说的去做！”

说完，他挽起老朋友的胳膊，在房间里边走边商量。

时间不知不觉地过去了，清晨灿烂的阳光从敞开的大门照进屋内。这次，大门是这家的主人亲自打开的。

医生迎着朝阳走了出去，动身回家了。

重回高山

重获自由

一大早，赛斯曼先生就又急又气地跑上了楼，大步走到了罗藤梅尔小姐的房间门口，用力敲门。他听了医生对海蒂病因的推断，现在心里对罗藤梅尔小姐充满了不满，才不管此时敲门会不会搅了罗藤梅尔小姐的美梦呢。被惊醒的罗藤梅尔小姐迷迷糊糊地坐起来，听到门外传来了主人的声音：“麻烦您快点起床到餐厅来，我们要马上出门，得做些必要的准备。”而她睡眼惺忪地看向墙上的挂钟——此刻才凌晨四点三十分！她这辈子都没这么早起过。究竟出了什么事？一向稳重的她一时慌了手脚，只好先按照主人的吩咐穿衣洗漱。

赛斯曼先生离开罗藤梅尔的房间，接着又沿着走廊拉响了所有仆人房间门口的铃铛，把所有仆人都从睡梦中惊醒了。他们一个个慌里慌张地从床上爬下来，衣衫不整地纷纷冲进了餐厅。毕竟鬼有没有被驱走还不知道，或许这是主人的呼救呢！

可是一到餐厅，大家都愣住了——赛斯曼先生神采奕奕，完好无损，和平时精神抖擞的样子并无二致。看到仆人们都陆续到位，他开始了有条不紊的指挥：约翰去备马车，蒂奈特去叫海蒂起床，帮她做好出远门的准备，塞巴斯迪出门去接海蒂的姨妈。

罗藤梅尔小姐姗姗来迟，她起得太匆忙了，帽子都戴反了。赛斯曼先生没有做任何解释，吩咐她去找一个皮箱，装上海蒂的所有行李，“东西必须都准备妥当。别磨蹭。”

罗藤梅尔小姐本来还想问问抓鬼的事儿怎么样了，可现在赛斯曼先生一通命令，把她想问的所有问题都堵住了。她愣了几秒，只好先去找皮箱。赛斯曼先生没有犹豫，直接走进了克拉拉的房间。克拉拉早就被府上吵吵闹闹的声音吵醒了，急切地问爸爸到底发生了什么事儿。赛斯曼先生坐到克拉拉床边，温柔地跟她讲述了晚上抓鬼的事儿。最后，他告诉克拉拉："医生说海蒂的身体情况很不乐观，担心她会在夜里梦游爬上屋顶，那就太危险了。我决定现在就送她回家，这是让她恢复健康最快的办法，你说呢？"

克拉拉听了爸爸这一夜令人惊奇的见闻，感到十分震惊，听说海蒂身体状况这样差，现在还必须回乡下去，又感到非常难过。赛斯曼先生劝克拉拉不要强留海蒂，毕竟现在一切以海蒂的健康为重，他还承诺明年一定带克拉拉去瑞士看海蒂。克拉拉这才勉强同意。不过，她要求为海蒂收拾行李，这样可以给海蒂装上些礼物。赛斯曼先生爽快地答应了。

这边，塞巴斯迪带着蒂提姨妈回来复命，可是蒂提推三阻四地不愿意带海蒂回去，因为她还记着自己强行带海蒂去法兰克福前，牧场大叔对她气愤地大吼："你以后再也不许来高山牧场！”现在她还有什么脸面带海蒂回去呢？赛斯曼先生看透了她的心思，没有强求，打发她回去了。转头，他递给塞巴斯迪一张名片，然后嘱咐道：“你今天先带着孩子到巴塞尔去，明天再送她回家。到了那边不必多做解释，我已经写信给海蒂的爷爷说明一切了。到了巴塞尔，你就把海蒂送到我名片上标注好的这家旅馆去，只要你出示名片，他们就会给孩子安排一个好房间。你一定要注意，海蒂所在房间的窗户必须都要关得严严的，她现在有严重的梦游症，要是从窗子翻出去可就糟了。”

塞巴斯迪吃了一惊：“原来府上的小鬼是海蒂吗！”

“对，就是她。你这个胆小鬼，你和约翰都是！”说完这些，赛斯曼先生转身就走了，留下塞巴斯迪一个人站在原地羞愧不已。

赛斯曼先生来到了海蒂的房间，告诉她：“孩子，快做好准备，我们马上就送你回家。”

海蒂已经在蒂奈特的帮助下换上了最好看的衣服，还在奇怪这是要干什么。听到赛斯曼先生这么说，她惊讶地张大了嘴巴，可是一句话都说不出来。过了许久才终于结结巴巴地说出一句话：“您……您说的是真的吗？”

“当然是真的了，难道你不愿意吗？”赛斯曼先生笑着说。

“不不不，我当然愿意！十分愿意！”海蒂的小脸都涨红了，她实在是太高兴了，几乎要掉下眼泪来。

“那么，现在就好好吃饭吧，我们等会儿就要出发了。”

海蒂很想好好吃饭，可是她太激动了，根本咽不下去吃的。赛斯曼先生看她这个样子，十分心疼，嘱咐刚进来的罗藤梅尔小姐说：“让塞巴斯迪多准备点吃的，这孩子现在什么都吃不下

去。”他又对海蒂说：“孩子，吃过饭就到克拉拉那里去，等马车到了我会叫你的。”

海蒂马上飞快地跑上楼，一进克拉拉的房间，她就看到了一个大皮箱。克拉拉兴奋地招呼海蒂过来，给她展示自己为她准备的礼物：漂亮的裙子、娃娃、针线盒。“还有这个，你看！”克拉拉高高举起一个篮子，海蒂看到篮子里的东西，高兴得手舞足蹈——那里面装了12个新鲜的白面包。“奶奶一定会很高兴！克拉拉，谢谢你！”两个孩子又亲热地说了许多话，直到接海蒂的马车到了楼下。

海蒂怀着激动的心情，带着所有克拉拉送给她的礼物，还有新奶奶送她的书和她自己的旧草帽、红围巾，与塞巴斯迪一起坐上了回家的马车。“一路顺风，海蒂！明年我会带着克拉拉去看你的！”赛斯曼先生依依不舍地和海蒂告别。海蒂也热情地回应：“感谢您和克拉拉为我所做的一切，代我向医生问好！”

马车开始向前行驶，海蒂把装着白面包的篮子稳稳地放在膝上，看向车窗外，她的心里像有一只灵动的小鸟在扑扇翅膀。之前，这只小鸟一直被关在漂亮的金丝笼子里，现在，却重获了自由。美好的新生活就要开始了，海蒂简直想要欢呼起来。

回到高山牧场

不久，海蒂就坐上了火车，在巴塞尔住了一晚后，她和塞巴斯迪终于搭乘上了回乡的列车。经过昏昏欲睡的几个小时后，美茵费尔德熟悉的景色映入了眼帘——这就是她梦寐以求的地方！她已经等不及要跳下车去了。

塞巴斯迪正好相反，他对这弯弯曲曲的山路很是惧怕，下车以后，他跟着海蒂在车站转悠，总是不停地向人打探哪条路到德芙里村比较好走。海蒂一直宽慰他："这里的哪条路都很好走，你就放心跟着我吧。"可是塞巴斯迪还是不放心。正好这时路过了一个驾着马车拉着面粉的壮汉，是德芙里村的面包师傅，他没有见过海蒂，但见到这么丁点儿大的小姑娘念叨着高山牧场，马上猜到她是谁了。他在村子里听说过这个可怜的姑娘跟着坏脾气的老头儿一起住，很是同情，又见瘦弱的塞巴斯迪带着一堆行李跟着海蒂，一副不靠谱的样子，便好心地提出可以帮忙托运行李到德芙里村——反正去高山牧场先要经过那里。塞巴斯迪十分高兴，他可实在不想走弯弯曲曲的山路。海蒂也怕塞巴斯迪到时会走得很慢，就跟他说："我一个人就能到山上去，你回去吧。"塞巴斯迪听了有些犹豫，但心里当然很乐意。最后经过商量，他还是同意了海蒂的意见，和壮汉一起把行礼放上马车，把赛斯曼先生嘱咐交给牧场大叔的信小心地放在了海蒂篮子的最里面，确保不会丢失，然后叮咛海蒂："你可不要把东西弄丢呀！这是赛斯曼先生交给你爷爷的东西，很重要。"海蒂爽快地答应了下来。塞巴斯迪才稍微放下心来，往回走了。

海蒂在壮汉的马车上，看着窗外的风景，心情大好，哼起了小曲。壮汉心里很诧异，他也相信村民的话，觉得海蒂是受不了高山牧场的生活才去了法兰克福过好日子，可是她现在怎么回来了？还这么高兴？

马车终于到达了德芙里村，村民一看到海蒂下车，都马上围了过来，惊愕地议论纷纷。可是海蒂根本顾不上回应他们，而是提着自己的篮子，对壮汉说："谢谢您送我到这儿，爷爷明天就下山来取我的箱子，我先上山了！"说完就一溜烟沿着小路往山上跑去。村民们还站在原地，望着小姑娘的背影七嘴八舌地议论着："这个小姑娘好不容易可以离开那个怪老头儿，过上好日子了，怎么又回来啦？"

海蒂提着篮子，像只小兔子一样一路狂奔。她一点儿不觉得累，周围的景色是那样的美好和熟悉，她简直激动得想放声大喊。但是现在，她必须一直往前跑，因为奶奶在等她！她就这样一直跑呀跑呀，终于，山间洼地的小屋出现在了眼前！

海蒂确认了一下篮子里的白面包还都齐全，马上加快了脚步，跑到了小屋门前。

"啊，海蒂跑进屋来的脚步声，也是这样的，"刚闯进门，海蒂就听到了奶奶熟悉的声音，苍老而温暖。那个声音继续颤颤巍巍地说，"可惜海蒂再也不会回来了。"

"我已经回来了！是我啊，奶奶！"海蒂激动地大喊，"我给您带白面包来了！"她晃动着手里的篮子。

"什么？是海蒂？真的是她的声音，我不是在做梦吧！"奶奶惊讶地说。一旁的布丽奇真真切切地看到了海蒂，也是目瞪口呆，"真的是海蒂！还戴了一顶漂亮的羽毛帽子，穿着好看的衣服，我真快认不得她了！"

"这个帽子送给你了，我不喜欢它，我有自己的草帽了。"说完，海蒂就把头上的帽子摘下来，放在了桌上，"奶奶，我也不能待太久，我还要上山去找爷爷，我来这里是要把新鲜的白面包给您送来！是我从法兰克福专程带来的！”说罢，海蒂就把篮子里的白面包一一拿出来，放在了桌上的盘子里。

“好好好，海蒂真是个好孩子。有什么话，咱们回头再说，快先上山去找你爷爷吧。”奶奶激动地说。

海蒂从奶奶家出来，正遇上了回家的彼得。彼得看到她，惊讶地张着嘴，一动不动，过了一会儿又揉揉眼睛，始终不相信眼前的海蒂是真的存在。海蒂看他这个样子，忍不住笑了起来：“彼得，是我啊！真的是我，我回来了！”

“你，你回来了。”彼得结结巴巴地说，他本就不善言辞，现在更说不出话来了，“你是回来看我们的，还是永远不走了？”

“我永远不走了！永远待在这儿！”

“那，你明天和我去放羊吗？”彼得呆呆地问道。

“当然！明天上午我就和你去放羊！”

和彼得简单告别后，海蒂一路小跑，终于来到了山上。牧场大叔正一脸阴沉地坐在他常坐的那把长椅上，看到海蒂，他瞪大了眼睛，惊讶得说不出话来。“我这是做梦吗？你怎么回来了？小东西？”

“不是做梦，是我，我回来了，爷爷！”海蒂激动地扑进了爷爷的怀里。

“你看起来脸色不太好，告诉我，是不是他们把你赶出来了？”

“不是，完全不是，他们对我很好，这是赛斯曼先生让我转交给您的。”海蒂把篮子递给爷爷，自己则飞快地跑进了屋里，爬上了她住的小阁楼。“我的床没了！”她失望地喊起来。

“我会再给你做一个！”爷爷在楼下喊着，“我以为你再也

不会回来了。”他看着手里的东西，说，“真没想到你还会回来，快把这些东西都放进壁橱里吧，里面除了信，就是钱，很多的钱，是给你买衣服的，或许还可以给你置办一张新的小床。”

“我不需要新衣服了，克拉拉已经送给我很多了，我也不要买新的床，只要爷爷给我做的稻草床！”海蒂干脆地说着。

“那也先把这些东西放进壁橱里吧，总有用得到的时候。”爷爷说，海蒂便听话地照做了。

“爷爷，我好饿，想喝羊奶！”

爷爷马上拿起桌上的壶，给海蒂倒了满满一碗，他心里很高兴，但嘴上还是说，“孩子，你在那边这么久，还能喝得惯羊奶吗？”

他很快得到了答案，海蒂端起碗，咕咚咕咚一饮而尽，“一点儿也没变！”她高兴地喊起来，“这还是我喝过的最好喝的东西！”

这天晚上，海蒂睡在爷爷重新给她搭的小床上，睡得很香甜，她没有再梦游了。

生活中充满希望

第二天一大早，海蒂就在爷爷的护送下来找彼得奶奶了。

“奶奶，你吃白面包了吗？”刚进门，海蒂就急不可待地大声问道。

布丽奇马上替奶奶回答：“奶奶很珍惜你的白面包，昨天晚上吃了一个，今早也吃了一个，不舍得多吃呢。”

海蒂转转眼珠，灵机一动，“奶奶，您不用不舍得，我可以写信让克拉拉再送些白面包来，她答应过我可以送很多很多白面包的。”

“谢谢你，可爱的小姑娘，不过麻烦她寄来的话，等面包到了咱们手上，就可能都已经干啦。其实，德芙里村就有面包店，只是咱们没有钱买。”奶奶慈爱地说。

“啊！”海蒂激动地大叫起来，“钱！我终于知道我的钱可以派上哪些用场了！都拿来给奶奶买白面包就可以了！”

“不，好姑娘，那是你的钱，应该留着买你喜欢的东西。”奶奶拉过海蒂的小手，又摸了摸她的头。

“我喜欢的东西，就是能让奶奶开心的东西！我会给您买很多白面包的。”

这时，海蒂看到了彼得家橱柜上的赞美诗。那是奶奶之前说过一直想听彼得念的赞美诗。

“奶奶，我现在会朗读了，我读赞美诗给您听吧。”

“那可太好了，海蒂，你真的会朗读了吗？”

“是啊，我在法兰克福学会了认字。不信，我现在就念给您听。”海蒂取下书，翻到了一篇叫《太阳》的诗，开始流利优美地进行朗读：

> 金色的太阳，
>
> 充满了欢乐与祥和。
>
> 受尽了苦难的人们，
>
> 在这光辉里，
>
> 沐浴着灿烂的重生之光……

海蒂念得入了迷，奶奶也听得出了神，她的面庞被什么照亮了，海蒂从来没发现，奶奶是那么美。

不知不觉，太阳快要下山了，爷爷敲了敲彼得家的窗户，海蒂听到声音才反应过来：到了回家的时候了。“再见了奶奶，明天下午我再来！”

路上，海蒂和爷爷说了要给奶奶买白面包的事，还讲述了今天给奶奶念书时，奶奶高兴的样子。“法兰克福的奶奶说的没错，当时上帝没有同意让我立刻回家，是因为当时回家对我不是最好的。如果那时就回家，我只能带着一些干巴巴的面包回来见奶奶，也不会认字。而现在我回来，带回来了给奶奶买新鲜白面包的钱，还学会了朗读。上帝是对的，他让我做出了最好的选择。一会儿回到家，我还要继续虔诚地祷告！”

“这些是法兰克福的奶奶告诉你的？”爷爷惊讶地问道。

“对呀，她还和我说，永远不要怀疑上帝、遗忘上帝。上帝能听到每一个人内心的声音，如果因为一时的挫折就背弃了上帝，那也就是放弃了自己。”

爷爷听了这话，陷入了沉默。过

了许久，他才轻轻地问道:“可是，如果一个人已经被上帝遗弃了，那也只能那样了。”

“不是这样的，爷爷！只要重拾希望，重新振作，上帝还会重新接纳他的！”

回到家里，海蒂发现爷爷已经把她留在德芙里村的一半东西背了回来，而她心爱的那本大书就在其中。她兴奋地取下那本书，翻到了自己最喜欢的牧场男孩儿的故事，开始给爷爷娓娓讲述。

“男孩儿在父亲的牧场里放牧，披着漂亮的斗篷，倚着放羊的手杖，远望落日的夕阳，在家里和父亲过着幸福的日子。”

“可是有一天，他突然渴望拥有自己的财富，于是向父亲索要了一大笔钱，远走他乡，很快就把钱挥霍一空。一无所有的他只好到一户农家做雇工，这里没有可爱的牛羊，只有脏兮兮的小猪。破衣烂衫、忍饥挨饿的他这才明白了家里的好，悔恨不已，最终踏上了归家的旅程。一路上，他在心里想着，只要父亲能宽恕自己，哪怕在家里做个仆人都可以。可是没想到，他刚走近家门，父亲就从家里跑了出来。”

念到这里，海蒂停下来，抬起头问爷爷：“爷爷，您觉得这个父亲会怎么做？”

爷爷没有说话。

“您是不是觉得，这个父亲会说，‘滚，我没你这个不争气的儿子’。不，这个父亲跑向自己的儿子，把他拥入了怀中，说，‘只要你醒悟过来，就永远都是我最亲爱的儿子。’爷爷，上帝也像是这样的一个父亲。”

爷爷还是没有说话。

当天晚上，海蒂睡着后，爷爷一个人坐在窗前，沉思了许久。

第二天一早，海蒂被爷爷叫醒了，她迷迷糊糊地看向爷爷，马上惊讶地睁大了眼睛：爷爷穿了一身非常正式的新衣服，看上去精神抖擞。

“爷爷，您看起来真气派！”她不由得发出了赞叹，“我们这是要去哪儿啊？”

“今天是去教堂礼拜的日子，走，我们去礼拜！”爷爷声音洪亮地说。爷孙二人手拉着手，下山朝教堂走去。

当他们走入教堂，在最后一排椅子坐下时，德芙里村的村民都已经唱起了圣歌，圣歌还未唱完，就有人发现了爷孙二人的身影，惊讶地低语：“牧场大叔带着那个小女孩儿来做礼拜了！”这个大发现立马引得众人回头张望，害得领唱的人费了好大劲才让圣歌重新唱齐整。

礼拜仪式结束后，爷爷拉着海蒂的手走出教堂，向牧师的屋子走去。其他人则三五成群地聚在一起，激动地议论起来，猜测着牧场大叔会和牧师说什么。此时，有人已经对牧场大叔产生了新看法：“其实大叔也不像人们想象的那么坏，看他对那孩子多温柔啊。”也有人说：“他要真是个坏人，就不可能到牧师那里去，咱们把人想得太坏了。”这时，帮海蒂运行李的面包师也开口了：“我早说过，如果他真的那么可怕，那个小姑娘会放着法兰克福的好日子不过，执意回到这里吗？”渐渐地，有些女人也加入了谈话，她们把从布丽奇那里听说的牧场大叔帮忙修屋顶的事儿也说了出来，大家都对牧场大叔有了新的认识。

就在大家议论的时候，牧场大叔已经走进了牧师的房间。牧师依然挂着温暖的笑意，他刚才在教堂就已经看见了大叔和海蒂，心里已经明白几分了，很是欣慰。两个人相对无言，只是紧紧地把手握在了一起。

“老朋友，请原谅我之前对你的态度，”爷爷诚恳地对牧师说，“我已经打算带海蒂回德芙里村过冬，山上的冬天太冷，孩子会受不了。”

牧师激动地说：“过去的事儿完全不用放在心上，我真高兴你能对我说这些！德芙里村永远欢迎你的到来，我盼望着你和村里人一起和睦生活的那一天。还有海蒂，我们会让她认识更多新朋友，和其他孩子一起去上学！”

此时，牧师的窗外已经聚集了一群人，他们都看到了牧师和牧场大叔和解的一幕，对牧场大叔的成见彻底解除了。等牧场大叔带着海蒂走出来时，他们全都涌来，争先恐后地和牧场大叔握手、聊天，热情地跟他打招呼。“大叔，您总算回到这里了！”“早就想和您好好聊聊了！”牧场大叔也笑着回应这些温暖的问候，还告诉大家，冬天就要带海蒂回德芙里的老屋居住。这个消息让大家都欢呼起来。村民们陪着爷孙俩向高山牧场走了很久，才依依不舍地和他们告别，临走还纷纷邀请他们到家里做客。海蒂看着爷爷，发现他此刻满面红光，嘴角挂着以前从未出现过的柔和的笑容，她忍不住说：“爷爷，您比之前的每一天都更加容光焕发了。”

“是啊，孩子，从没想过我还能回到人群之中愉快地生活，”爷爷笑着摸摸海蒂的头，“这都是因为你的到来。感谢上帝把你送到我身边。”

两个人手拉着手，来到了彼得家的山间小屋。这次，爷爷直接推门走了进去。

“您好啊，彼得奶奶，”爷爷冲着屋里喊，“我看，秋天到来之前，还要再给您家修修屋顶啊。”

“难道是牧场大叔吗？我的天！”彼得奶奶听出了牧场大叔的声音，“您终于来了，我们一直想当面感谢您！”

“您不用客气，这都是我应该做的。”牧场大叔友好地说，“我已经决定冬天带海蒂回德芙里住。”

奶奶听了这个消息，激动不已。“你终于愿意和我们这些老朋友重归于好了，我真高兴！我代表德芙里村的村民欢迎你回家！还有，我想我们都得承认，海蒂是上帝赐给咱们的最好的礼物，答应我，可千万不要送走她了。”

“当然，我是最舍不得她的啊。”

布丽奇在一边打趣说，“海蒂这次从法兰克福回来，真是变了很多。不光穿得漂亮了，还会认字读书了，看来我也应该把彼得送去。”

“当然，找到机会，一定得试试。”牧场大叔也跟着笑了。

说时迟那时快。彼得风风火火地跑了进来，手里高举着一封信，是他帮人去邮局跑腿时意外收到的。“海蒂！这是给你的信！”这封信的到来让大家都很惊讶，因为彼得家很少有人收到从外面寄来的信，更不用说离群索居的牧场大叔了。海蒂马上接过信，迫不及待地打开信封，拿出信纸，流畅地给大家读了起来：

“海蒂，自从你走后，我的日子又变得无聊了。但好在爸爸终于答应这个秋天带我去拉加兹度假，我奶奶也会同去，这样我们就可以去看望你和你爷爷了。我还把你给彼得的奶奶送白面包的事儿告诉了我奶奶，她对你的孝心赞赏有加。她还寄来了咖啡给彼得的奶奶，说等我们去看你时，也要亲自拜访彼得的奶奶呢。爱你的克拉拉。”

克拉拉的信让在场的人都振奋不已。大家开始热烈地讨论起来，一直聊到天黑。最后，彼得的奶奶对牧场大叔说：“今天真是发生了许多好事儿，但最好的事儿是您愿意和我们这些老朋友握手言和。这让我相信，相爱的人终会相聚。您要常来我这里看看，海蒂明天也一定要来啊。”

牧场大叔握着奶奶的手，郑重答应了她的请求。

与彼得一家告别，海蒂和爷爷向山上走去。此刻，悠扬的晚钟回荡山谷，金色的夕阳陪伴爷孙俩归家的路。想到克拉拉的奶奶秋天会来，海蒂浮想联翩，满怀欣喜。她不光高兴克拉拉和奶奶的到来，更高兴爷爷的变化。这一刻，她更加明白了，克拉拉的奶奶说的是对的：只要肯为理想的幸福付出努力，一切终会万事如意，梦想成真。

克拉拉准备礼物

九月的早晨，风和日丽。克拉森医生走在法兰克福的大街上，朝着赛斯曼先生家的方向走去。照理，在这样的好天气里，他应该是心情舒畅、步履轻快的。可眼下，却只是垂头丧气，只看着脚下的石路，毫不理会头顶上的蓝天白云。他的脸上挂满了从未有过的哀伤，头发也比春天的时候灰白了许多。

这是有原因的。医生只有一个独生女儿，自从他的妻子去世后，一直是父女俩相依为命，女儿是他唯一的寄托，更是他全部的欢乐。然而，命运是这样的无常，不久前，医生的女儿却被死神夺去了生命。自那以后，可怜的医生一蹶不振，脸上再也没有了往日的笑容。

走到赛斯曼家门口，克拉森医生按响了门铃。

听到门铃响，塞巴斯迪热情洋溢地跑来开门，又殷勤地把他请上楼。克拉森医生心地善良，待人真诚友善，因此仆人们都把他当作朋友和贵客来看待。

“一切都好吗，塞巴斯迪？”医生一边上楼，一边问道。塞巴斯迪恭敬地回答，说府上一切都好。

医生一走进书房，赛斯曼先生就站起身来笑脸相迎：“来得正好，医生！我正想再和您谈谈去瑞士旅行的事情。你改变想法了吗？现在克拉拉的身体状况可是好了许多啊。”

“我亲爱的赛斯曼先生，我对你真是有点忍无可忍了！”医生说着就重重地坐了下来，“这已经是你第三次派人叫我过来，说的都是同一件事儿！我怎么跟你就说不通呢！”

“不要生气，我知道，为了我的顾虑你也操碎了心，但这事儿还得麻烦你。请你设身处地为我想想！”赛斯曼先生乞求似的把手放到了医生的肩膀上，“我跟孩子承诺得好好的。她可是日等夜盼了好几个月了，现在又突然说不能去了，她该会有多难过，我实在是说不出口啊。她之所以能熬过前些时候病重的那段日子，就是因为她一心想着马上就能到瑞士去见她的好朋友海蒂了。这孩子这辈子失去的已经够多的了，我怎么能忍心再让她失望呢！”

“可你也只能让她失望了！”医生用十分肯定的口气说道。看到赛斯曼垂头丧气、一言不发地坐在那儿，医生又继续说道：

“你冷静下来，好好想想。今年夏天，克拉拉的身体状况有多糟糕，这多少年来都从没这样差过，她肯定承受不了那样的长途跋涉。而且，现在已经是九月份了，山区肯定已经很冷了，白天会越来越短，克拉拉不可能留在山上和海蒂过夜吧，她顶多在山上待一两个小时。而那儿离拉加兹还有好几个小时的路程呢，克拉拉还得坐着滑竿让人抬着上山。现在明白了吗，这根本就不现实！”

赛斯曼先生露出了沮丧的神情，医生看他这个样子，也叹了口气，“这样吧，我和你一起去找克拉拉谈谈。她是个懂事的孩子，我相信她会理解我的好意的。我建议让她明年五月份再去拉加兹，先在那儿疗养一段时间，等到天气暖和了，再叫人抬着她到阿鲁姆山上玩儿玩儿。那时，她才能真正享受到高山旅行的乐趣。赛斯曼，要想让你的宝贝女儿彻底康复，就必须给她足够精心的照料。”

赛斯曼先生听到“康复”两个字，猛地站了起来，激动地喊道：“医生！你真的认为她有希望完全康复吗？你要跟我说实话啊！”

医生耸了耸肩，“坦白地说，希望不大。但是，这真的是眼下最重要的事儿吗？想想我吧，朋友。至少你还有个可爱的女儿爱着你，盼着你回家。你体会不到我一个人回到空荡荡的房子里，孤单单地吃饭的滋味。而且，克拉拉虽然没有体会过其他同龄人的快乐，但她在物质上确实比很多孩子要过得好很多。赛斯曼，珍惜你现在的幸福吧，你们父女俩还能在一起是多么幸运啊！”

赛斯曼先生在房间里来回踱步，没有说话——这是他平日思考重要问题时的老习惯。突然，他在医生的面前停下了脚步，拍了拍他的肩膀。

“医生，我很理解你的心情，你不能再这么下去了，你应该换个环境，换个心情。我想到一个办法，克拉拉今年的确出不了远门了，但是你可以啊。你代表我们去瑞士看看海蒂吧？”

医生听到这个提议大吃一惊，可是，还没等到他开口说话，赛斯曼先生就已经兴奋地拉着他朝克拉拉的房间走去了。见他们进来，克拉拉马上热情地向医生问好，并请他坐到自己的身边。医生是她亲密的老朋友，她也一直期盼着医生能重新快乐起来。

赛斯曼先生也坐到了女儿身边，握着她的手，跟她聊起了瑞士之行，对于无法成行的事，他只是一带而过，因为他实在害怕看到女儿失望哭泣的样子，只能赶紧把话题转到自己的新想法上，并反复强调这样的休养旅行对他们的好朋友克拉森医生来说非常有益。

果然，克拉拉的眼泪一下子涌了出来，尽管她知道爸爸最不想看到她哭，可是现在一切都落空了，她确实很难过。整个夏天，她一直忍受着漫长而寂寞的生活，去看望海蒂是她唯一的指望。但克拉拉不是个胡搅蛮缠的女孩，她知道这只是暂时的，爸爸不会让她失望。克拉拉把眼泪咽了下去，转过身来，对着医生恳请道：

“既然我去不了，请您无论如何替我去看看海蒂吧。回来后，将一切都讲给我听：海蒂的生活，她的爷爷，彼得和山羊，他们都过得怎么样。还有，我准备了很多东西要送给海蒂和奶奶，请您帮我一起带去。这件事儿对我很重要，您一定要答应我，我保证这段日子里您要我吃多少鱼肝油，我就吃多少！”

看着她可怜巴巴的小脸，医生没有办法拒绝，只好微笑着说：

“这么看来，我是非去不可了。那么，克拉拉，你要答应我，好好照顾自己，按时吃药，等我回来，你要变得健健康康的。你说吧，我什么时候动身好呢？”

“明天一早就动身吧，医生。”克拉拉迫不及待地回答。

“没错，明天一早！”赛斯曼先生也起劲地附和着，“现在天气正好，阳光明媚，不趁着这么好的日子在高山牧场上度个假，不是太可惜了吗？”

医生不由得笑了：“看来，我现在就得告辞准备出发了。”

但克拉拉叫住了起身要走的医生，嘱咐他要提前向海蒂捎去口信，还说，送给海蒂的礼物等罗藤梅尔小姐帮忙打点好后，就送到医生家。克拉森医生郑重答应她会将口信准确地捎给海蒂，并许诺会尽早动身，回来后就把自己的所见所闻仔仔细细地讲给她听。

说来奇怪，仆人们总是能在主人通知他们之前就知道自己需要做些什么。塞巴斯迪和蒂奈特尤其具备这种才能。这不，还没等塞巴斯迪把医生送下楼，蒂奈特就走进了克拉拉的房间，而克拉拉刚要准备拉铃叫她。

“蒂奈特，出去多买些我最爱吃的小蛋糕，要把这个盒子装得满满的。”克拉拉说着，指了指桌上早就预备好的一个大盒子。蒂奈特不情不愿地拎起盒子的一角，嘟嘟囔囔地出去了。

楼下，塞巴斯迪和刚才一样毕恭毕敬地为医生打开门，说：“医生，麻烦您替我向那个小姑娘问个好，好吗？”

“怎么你的耳报神这么快，塞巴斯迪，”医生打趣道，“你也知道我要旅行的事儿？”

塞巴斯迪连咳了两声，急忙解释说：

“我是……啊，刚才我刚好在餐厅，无意中听见你们说到那个小姑娘的名字，我就寻思着……所以这才……”

“好了，好了！”医生笑了，“我会代你向她问好的。再见，塞巴斯迪。”

医生说完正要走，碰巧又遇上了刚刚回来的罗藤梅尔小姐。医生也将自己的旅行计划告诉了她，请她尽可能地把要送给海蒂的礼物打好包，然后便告辞而去。

克拉拉原本以为罗藤梅尔小姐肯定会因为怕麻烦推辞一番，毕竟，克拉拉准备送给海蒂的东西大小不一，太难整理了。没想到，今天她心情很好，答应得很爽快。她马上把大桌子收拾干净，将克拉拉准备好的东西都放到桌子上，当着她的面打点起行李来。先是一件带风帽的厚大衣，好让海蒂今年冬天可以穿着去看望老奶奶；然后是一条送给老奶奶的厚厚的保暖围巾，好让她在寒风再次绕着茅屋肆虐之时，能围着它御寒。接着是一大盒蛋糕，也是送给老奶奶的，好让她在不想吃面包时换个口味和咖啡一起享用。另外，还有一根硕大无比的香肠。克拉拉本来打算把它送给只吃过奶酪和面包的彼得，但她担心彼得有可能一高兴一次就把它吃完了，于是改变了主意，决定把它送给他的妈妈布丽奇，那样他们一家三口就可以分享了。此外，还有一袋烟草，那是为爷爷准备的，听海蒂说他总喜欢傍晚的时候坐在茅屋前抽上几口。最后是一些克拉拉为海蒂精心挑选的神秘小袋子，那是准备给海蒂的惊喜。

罗藤梅尔小姐忙了一阵，终于大功告成了——装得满满的大包被重重地放到了地上。罗藤梅尔小姐低头欣赏着自己的打包水平，克拉拉则投去期待的目光，仿佛看到海蒂面对这一大包东西时那欢呼雀跃的模样。

这时，塞巴斯迪走了进来，他颇有干劲儿地弯下腰一使劲儿，猛地将大包扛到肩上，朝着克拉森医生家走去。

高山牧场的来客

自从海蒂从法兰克福回来，她的举止变得文雅规矩了许多，每天早上，她都会自己亲手铺床，然后把整个屋子都收拾得干净整齐，把随处乱放的椅子归位，就连桌子都会擦得光可鉴人。爷爷看到这一变化，也忍不住欣慰地感叹道："海蒂可没白白出去走一趟啊！"

不过，彼得倒是有些不满。海蒂这次回来，每天都忙忙碌碌的，一直没有时间和他一起去放羊。上次约好了一起去，可最后也因为爷爷临时起意要去教堂做礼拜而落空了。这些天，他屡次邀请海蒂，她却总说：“克拉拉很可能会在某一天过来，我得在这里等着。”

“有牧场大叔在不就行了吗？”每次听到这话，彼得都会不满地嘟囔。

“那可不行，他们大老远赶过来，我不能让他们空等我。”而海蒂每次都会这样认真地回答，彼得也没办法。

这天，海蒂仍像往常一样做着家务，但她做得很慢，因为窗外的景色太美了，她总忍不住向窗外望去，陶醉其中。窗外的杉树随风舞动，沙沙作响，这是她最爱的声音。她终于忍不住了，跑出了家门，在杉树下跳起了舞。爷爷在一边做木工，时不时抬眼看着自己可爱的孙女，露出慈祥的笑容。

“啊，爷爷，快看啊！”海蒂突然爆发出了一声尖叫。这声尖叫把一边埋头做活的爷爷吓了一跳，爷爷赶忙说：“你这个小淘气，又怎么啦？”

“是他们！他们来了！我看到医生了！”她喊完这句话，便不管不顾地向山下跑去。

那的确是医生，他接受克拉拉的嘱托，很快就来到了阿尔卑斯山。此刻，他笑眯眯地看着海蒂，紧走了两步，迎接正朝他跑来的海蒂。

“医生，很高兴再次见到你！我一直想当面好好谢谢你！”海蒂热情地拉住了医生的胳膊，语气里透着喜悦。

“你好呀，海蒂。你要谢我什么呢？

“当然是谢谢你让我回到了爷爷的身边啊！”海蒂激动地回答。

看着小姑娘红扑扑的脸蛋和闪闪发光的黑眼睛，不知为什么，医生感到了一阵奇妙的欣慰，他很久没有体会到这种快乐了，他甚至展露了笑颜，这笑容也是许久没有出现的了。

“克拉拉和奶奶来了吗？在后面吗？”海蒂蹦蹦跳跳地问。

“哦，海蒂，我很遗憾地告诉你，他们今年来不了了，只能等下次。因为克拉拉身体不好，没法赶来这边。”医生也替海蒂感到遗憾，他接着又宽慰了几句，“不过，他们明年肯定会来的。”

海蒂呆住了，她没想到自己日思夜想的事儿居然已经破灭了。她感到难过，一时不知说什么好。医生看她露出失望的表情，也沮丧了起来。两个人沉默地站在秋风中。

海蒂很快平复了心情，至少现在医生来看她了，而克拉拉他们一定会来的，只是时间早晚的问题。她抬起头想和医生继续聊天，却注意到他眼里弥漫着一股哀伤，这哀伤是她从前在法兰克福没有见过的。她想，医生一定也在难过克拉拉不能来吧。她亲密地拉住医生的手，安慰道：“没关系，等天气暖和，克拉拉身体好起来，他们一定会来的！现在，我带你去看我爷爷吧！”

两个人手挽着手沿着山路来到了高山牧场，爷爷已经站在门口迎接他们了。海蒂扯着嗓子喊：“克拉拉他们这次没来，要等春天啦！这次来的是医生！”

爷爷热情地招呼医生在长椅上坐下，让海蒂陪医生好好聊天。医生把赛斯曼先生如何劝说自己来这里的过程都说给了海蒂听，还告诉海蒂，等会儿还有他从法兰克福带来的东西会运上山来，都是克拉拉准备给海蒂的礼物。海蒂见了一定高兴。

听到这里，海蒂充满了期待。

爷爷建议医生多在高山牧场待一段日子，享受美丽的秋色。因为牧场没有条件让客人留宿，他建议医生在山下的德芙里村住下，不要大费周章回拉加兹去，德芙里村的旅店虽然简陋，但也干净整洁，民风淳朴，很适合休养。医生高兴地接受了爷爷的提议。

中午，医生和爷孙俩共进了午餐。爷爷用新鲜的羊奶和现烤的金黄的奶酪招待医生，还端出了切成薄片的风干腊肉，香气扑鼻。这顿饭医生吃得很香，是他一年来吃得最香的一顿了。

“克拉拉一定得来一趟，在这里她的身体一定会越来越好。”饭后，医生惬意地说。

这时，有个人背着个大包裹从下面走了上来。这些就是克拉森医生带来的礼物。医生拉着海蒂的手，走到包裹跟前，打开让海蒂看。

海蒂兴奋地说不出话，马上把里面的东西一一摊开来欣赏。她感到惊喜极了。

医生又走过来，打开大纸盒的盖子，指着里面的小蛋糕对海蒂说：“看，这是给奶奶喝咖啡时吃的。”

海蒂高兴得围着盒子手舞足蹈起来。她急着把这些东西马上送去给彼得家，但爷爷建议她傍晚送医生下山时再顺便给奶奶送去。这时，海蒂发现了克拉拉送给爷爷的烟草，马上把它拿给了爷爷。爷爷看到，高兴极了，马上用它装满了烟斗，和医生一起一边吸烟斗，一边海阔天空地畅谈起来。

太阳开始落山了，医生准备下山到德芙里村投宿。他拉着

海蒂的手，爷爷则抱起蛋糕盒、香肠和围巾，一行三人一同向山下走去。

到了彼得家门口，爷爷放下礼物，陪医生继续前往德芙里村，海蒂则留在彼得奶奶身边。与医生告别之前，海蒂还邀请医生第二天和她一起去高山牧场放牧，因为这是她认为最美妙的事。医生欣然同意了。

于是，两个大人下山去了，海蒂则把礼物一件一件搬进了奶奶家，她让所有东西都紧靠着奶奶，好让她用手一摸就知道是什么东西。

“这些都是克拉拉和她奶奶从法兰克福寄来的礼物。”她对万分震惊的奶奶和目瞪口呆的布丽奇解释。然后打开蛋糕盒，让奶奶闻香喷喷的蛋糕：“奶奶，这些蛋糕您一定喜欢吃，也是克拉拉送的。还有这个灰色的围巾，也是她们送来的！”

奶奶高兴地抚摸着温暖而柔软的围巾，不停地点头：“她们真是好人啊，海蒂，一定要替我谢谢她们。这些东西都是冬天必备的，没想到我还能用到这么好的东西。”

海蒂没想到奶奶最喜欢的是灰色围巾，她以为奶奶应该会更喜欢小蛋糕的。而布丽奇站在一边，仍然一脸不可思议地看着那根儿大香肠，她还从来没见过这样香气四溢的大香肠，有些难以置信地问：“这真的是给我的吗？”

海蒂毫不犹豫地说：“当然是给你们吃的呀！就放心地享用吧！”

这时，彼得跌跌撞撞地跑了进来，上气不接下气地说：“牧场大叔跟着我来了，他让海蒂跟他一起回家去，天色已经晚……”这时，他看到了地上那一大堆礼物，也惊讶得说不出话来，但海蒂已经知道他要说什么了。现在爷爷允许她每天都来陪奶奶说话，但也要保证充足的睡眠，所以天一黑就得回家去。她马上和奶奶吻别，并和彼得约好第二天带着克拉森医生一起去放羊。

医生的幸福时光

第二天一早，克拉森医生就随着彼得和羊群一起出发了。一路上，他一直努力和彼得找话说，这可真不容易。彼得是个金口难开的孩子，医生问他话，他只答一两个字。两个人一路几乎无言，就这样来到了大叔家门口。此时，海蒂已经和白菊、棕熊等在那里了。

爷爷拿着装了午餐的袋子走了出来，先和医生问了早安，就把午餐挂在了彼得肩上。这袋子比平时要重，里面装了医生喜欢吃的腊肉。彼得感觉到分量，知道今天又会有好吃的，也不由得喜笑颜开。三人准备妥当，向牧场进发。

医生松了口气，和海蒂说话可轻松多了，不需要努力找话题，海蒂就能滔滔不绝地聊开了。从山羊的习性一直说到牧场的花鸟山石，就这样一路畅聊，不知不觉他们就登上了牧场。

海蒂马上领着医生来到了她最喜欢的地方，从那里可以看到远处的山谷，还能仰望到高山上闪着光芒的积雪。两座灰色的高山直入云霄，壮观不已；脚下的青草柔软干爽，海蒂和医生一起坐到了草地上。

此时，清晨的微风静静拂过牧场，抚摸着垂柳与花朵。雄鹰在蔚蓝的天空中振翅高飞，悠然自得。牧场上一片宁静祥和，只有山羊脖子上的铃铛时而发出清脆悦耳的声音。

这还是海蒂回家后第一次到高山牧场放牧，她陶醉极了。这时，她却注意到了医生的异常——他正凝望着远方，眼神里充满着悲伤，浓得化不开的悲伤。

“医生，这里多美啊，您为什么不开心呢？”海蒂关切地问道。

“美景是带不走人的忧愁的。”

“这里没有忧愁的人啊，法兰克福倒是有。”海蒂想起了法兰克福大街上行色匆匆、面无表情的人们。

医生微笑了一下，“你说得对，”他叹了口气，“但如果真是那样，我来到了这里，悲伤却也跟着来了，没有留在法兰克福。”

海蒂若有所思地想了想，她告诉医生：“如果您赶不走悲伤，可以试着和心里的上帝说说话，或许他能告诉你该怎么办。”

“可是，如果一切的不幸就是上帝安排的呢？”

这个问题把海蒂困住了。她苦思冥想了起来，医生没有追问，只是静静地看着远处的山峰。

但海蒂想出了答案，她坚定地拉住医生的手，“那就继续等待，坚持着对幸福的追求，相信福祸相依，快乐马上就会到来，不要放弃心里的信仰。”

医生的双眼微微睁大了。过了良久，他说：“海蒂，你知道吗。如果一个人的内心充满忧伤，他的双眼就会蒙上一层阴影，是无法欣赏美好的景色的。”

这话像针一样在海蒂心上狠狠地刺了一下。双眼，阴影，她想起了彼得的奶奶。

“医生，你知道吗，彼得的奶奶眼睛看不见，她永远都看不到这美丽的风景了。她最喜欢做的事就是听我给她念赞美诗，只要听了赞美诗，她就像看见了美景一样高兴。我也给您背一首赞美诗吧。”

“好啊，我很乐意听。”

于是海蒂开始了朗诵。

> “人生舞台，少有慰藉，我们自怜自叹，以为永远走不出这痛苦和忧愁，以为被遗弃，以为上帝再不会回头看我们，甚至对上帝产生怨恨。但回来吧，我虔诚的心，请相信，只要永葆忠诚，我们一定会得到拯救……”

这是奶奶最喜欢的一节诗。海蒂完整地背下来了。这时，医生双手掩面，一动不动，海蒂想，医生可能是睡着了，便也不再说话，静静地望着天空。

其实，医生并没有睡着，他只是想到了自己的童年。那时，慈爱的母亲也经常给他朗读赞美诗，正是海蒂刚才吟诵的这一首。美好的回忆，如此令人陶醉。他想了许久，终于抬起了眼帘，迎向海蒂关切的眼神。

“海蒂，多美的诗啊。我们以后还要多来这里，请你多给我念些诗，好吗？”

“当然好，我很乐意！”海蒂十分高兴地应答着。

海蒂一直和医生在一起，一点没顾上彼得，这可把彼得气坏了。他甚至对着医生的背影挥起了拳头："都是你抢走了海蒂，没人和我玩儿了！"他提高嗓门，故意破坏气氛一样地对着海蒂和医生嚷道："中午了，开饭了！"

可是医生说，他只喝一碗奶就够了，其他什么也不想吃。他这样说，海蒂也什么都不想吃了，她跑向彼得，让他从白菊那里帮忙挤两碗奶。

"干粮袋里那么多东西呢，就只喝奶吗？其他东西怎么办？"彼得惊讶地说。

"都给你吃了吧，不过要先给我们挤奶。"

彼得惊喜万分，马上手脚麻利地挤了两碗奶，递给了海蒂。他早上就知道，今天的午餐比平时丰富，此刻海蒂端着奶去找医生了，他迫不及待地打开了袋子。当他发现里面竟然是一大块香喷喷的腊肉时，简直幸福得找不着北了，立刻大快朵颐了起来。吃到一半时，他想起刚才还对医生挥拳头，可现在医生却慷慨地把这么好吃的东西让给了自己。彼得的脸红了，他感到羞愧不已，在心里暗暗发誓，以后再也不那样对待别人了。

自那天以后，只要天气好，医生就会和海蒂一起到高山牧场来放牧，听海蒂念诗，他感到自己一天比一天有活力了。而和牧场大叔闲聊，也成了医生的一大乐事。他对大叔渊博的知识十分叹服。大叔对山上的一草一木和各种动物都了若指掌，还把山里的各种趣闻轶事都说给了医生听。医生每和大叔畅谈一次，就感觉自己又增长了一些知识。

这样惬意的生活让医生流连忘返。迷人的九月就这样过去了。医生要回法兰克福的日子终于到了。这天清晨，他照常来牧场找大叔，脸上却没了往日的欢乐，因为他已经彻底爱上了这里的生活，真舍不得离开。牧场大叔听说他要走，也有些伤感。海蒂更是不愿让自己的好朋友就这样离开，坚持要送医生一程。

他们一起走了一会儿，医生摸了摸海蒂的卷发，说："就送到这里吧，海蒂，我真希望能把你带回法兰克福，有你陪着，我的日子就好过多了。"

可是，海蒂回想起法兰克福那些冷冰冰的房子，仍然心有余悸，一时不知说什么好。医生笑了笑，说："不过，我知道你是不愿走的，有机会我再来看你，下次再见吧。"说完，他就转身往山下走去。

"等等，等等，医生！"海蒂突然追了上来，大声叫着，"我跟您回法兰克福去，到那里陪着您！只是，请容我回去和爷爷说一声！"

医生受宠若惊地愣了片刻，才笑着摇摇头："不，海蒂，谢谢你这样善良。但你是自由的飞鸟，就适合在这里飞翔。如果我带走你，不是又把你关回笼子里了吗？我走了，有机会再见。不过海蒂，请你告诉我，如果有一天，我病倒了，孤苦伶仃，无人照料，你会愿意去法兰克福陪伴我吗，你愿意吗？"

"愿意，愿意！我会当天就赶过去！我爱您就像爱我爷爷一样。"海蒂忍不住哭了起来。

就这样，医生再次和海蒂告别，转身走下山去了。海蒂站在原地，一直挥动着手臂，直到医生的身影变成了一个小黑点。而医生也回头望了一眼远处挥着手的海蒂，又看向晴朗的天空和远处雄伟的大山，自言自语道：“这里的确是个好地方，让人觉得生活又充满了希望。”

惊喜悄然而至

德芙里的冬天

整个冬天，山上都积了厚厚的雪，彼得家的小屋被积雪埋到了窗台，他不得不从窗户跳出去。但这样，他就会陷进松软的雪里，得手脚并用、挣扎一番才能爬出来。这之后，他还得接过妈妈递出来的扫帚，扫出一条通向屋门口的路来，这可是个苦差事，因为雪实在太厚了，没有一时半会根本扫不完。

不过，彼得却从这冰天雪地中获得了不少欢乐。因为每到这时候，他就可以坐上妈妈递出来的小雪橇，一路滑到德芙里村或任何他想去的地方。整座大山都是他的滑雪场，别提多有趣了。

这个冬天，牧场大叔按照和牧师许下的诺言，带海蒂搬到了德芙里的老屋里。这座老屋由一个腰缠万贯的西班牙将军差人建造，本是供自己安度晚年的。没想到在德芙里村住了没多久，那人就耐不住寂寞，一去不返了。这豪宅从此空了下来，日渐破败，无人问津。后来，老将军过世了，他的一个远方亲戚继承了这座房子。那时，房子已颓败不堪，新主人也无心修缮，索性把房子以极低的价格租给了穷人，任其继续残破下去。过了很多年，大叔带着年幼的儿子托拜厄斯来到德芙里村，在这里住过一段时间。这之后，房子又空置了许多年。屋顶和墙上都是裂缝和大洞，一到冬天，刺骨的寒风传堂而过，根本没法居住。

但这可难不倒擅长修缮房屋的牧场大叔，他早在决定回德芙里村过冬时就又把这所老房子租了下来，一有空就下山来修补房子。如今，他安心地带着海蒂搬了进来。

海蒂很喜欢这里，一跟着爷爷进屋，就跑来跑去、东张西望。她发现炉子和墙壁之间还有好大一块空间，放了一个四块木板围城的苹果箱一样的东西，但里面可没放什么苹果，而是一张熟悉的床——海蒂一眼就认出来了。这床的样子和山顶茅屋阁楼里的那张是一模一样的，一样是厚干草铺成的床垫和亚麻袋子做的被子。海蒂高兴地欢呼起来："这是我的房间，实在太漂亮了！"

"现在还太冷，如果不挨着炉子，你会冻坏的。"爷爷慈爱地看着海蒂。

当晚，海蒂在炉边的角落睡得很香。尽管一开始，她还有点不适应，早上一睁眼总以为自己还在山上，想去门外看看杉树，这时她才会反应过来，此刻自己已经不在茅屋里了，不免生出一股感伤。不过，这时她总会听到隔壁爷爷搭的羊圈里，山羊咩咩叫的声音，又会马上开心起来：这里也一样是她的家，什么都没有变。

下山后的第四天，海蒂对爷爷说："今天我得上山去看奶奶了，她一定很想我。”

但爷爷没有答应，“这两天可不行，雪太厚了，连彼得都对付不了，你这么单薄的孩子会被大雪吞掉的。等雪冻住了，我再带你去看奶奶。”

虽然海蒂不愿等待，但她确实还有很多事儿要去做。现在，她每天都去村里的小学上学，学得非常努力认真。因此，日子也就这样一天天过去了。奇怪的是，海蒂一直没在学校里看见彼得。老师也经常表示担忧：“彼得怎么总不来呢，或许是山上雪太大，他下不来吧。”

但老师不知道的是，彼得经常滑着雪橇下山来到海蒂家玩儿。

“彼得，你怎么总不去学校呢？这样下去你会跟不上进度的。”海蒂用责怪的口吻说。

“路上太滑了，来不及去嘛。”彼得红着脸找了个借口。

“我看羊司令这样很不应该，应该被揪耳朵。”爷爷在一边讽刺地说。

彼得吓得马上缩到了海蒂的背后。

“羊司令，你告诉我，如果一只山羊犯了错，应该怎么办？”

“应该狠狠揍它！”彼得爽快地回答。

“那要是一个男孩儿犯了错呢？”

“一样狠狠地揍他！”彼得不假思索地说。

“说得好，所以你给我听好，如果你再逃学，坐着雪橇在上学时间到处乱跑，就来我这里领罚吧！”

彼得这才听明白，爷爷刚才问的不听话的男孩儿说的就是他。他慌忙扫视了一下屋子，看看有没有鞭子之类的东西。

但是爷爷的语气却缓和了下来："好了，和我们一起吃饭吧，等下你和海蒂一起上山去，等傍晚再把她送下来，和我们一起吃晚饭。"

彼得听了笑开了花，马上高高兴兴地坐到了海蒂身边。而海蒂听到自己等下可以去看奶奶了，也很开心，都没有心思吃饭了，爷爷给她的烤奶酪和一大块土豆，她都让给了彼得。彼得来者不拒，吃得津津有味。

饭后，海蒂穿上克拉拉送她的厚大衣，走到彼得身边，说："好了，咱们走吧。"

彼得狼吞虎咽地把最后一口吃的塞进嘴里，这才站起来，两个人出发了。一路上，海蒂和彼得讲述了她搬到山下来住的这几天发生的事儿，但彼得一直心不在焉，他还在琢磨着牧场大叔说要惩罚自己的事儿，越想越担心："我宁可去上学，也不愿意让大叔惩罚我。"海蒂听了很高兴，马上热情地鼓励彼得一定要去上学。

到了彼得家，海蒂发现奶奶正裹着那条厚厚的灰色围巾，在床上瑟瑟发抖。布丽奇告诉海蒂，奶奶这几天受了凉，一直不太舒服。这可把海蒂急坏了，她连忙跑向奶奶，急切地问道："奶奶，您这是怎么啦？"

听出海蒂的脚步声，奶奶马上有了精神。秋天里，海蒂一直没怎么来看她，听彼得说，她整天和从法兰克福来的那位先生在一起，就以为海蒂会被接回到法兰克福去，因此一直郁郁寡欢。现在，她得知那位先生走了，而海蒂还留在这里，一直以来的心病终于好了起来。

“好孩子，我没事儿，最近天气太冷了，我才有些受凉。但我裹着这个围巾，觉得暖和许多了，等春天到了，我就会完全没事儿了。”奶奶宽慰着海蒂。

“真的吗，天气暖和就可以好了吗？”

“是啊，其实我一看到你来了，就已经好了一半了。”

“太好啦！”海蒂这下放心了，“奶奶，我接着给您念一篇赞美诗吧。”

“那可太好了。”奶奶笑着说。

于是，海蒂像往常一样跑去壁橱上取下那本赞美诗，一篇一篇给奶奶念了起来。

那天晚上，海蒂躺在床上，一直在思考一个问题：现在她已经搬到山下了，每天还要上学，不能时常去看望奶奶，可是奶奶在山间小屋里，又冷又寂寞，眼睛还看不见，就指望着听海蒂念赞美诗，这可

怎么办呢？得想个办法。

“啊，有了！”突然，聪明的小姑娘灵机一动，冒出了一个好主意。一有了这个想法，她就恨不得这一天快快过去，好在明天就把想法付诸实践。于是，她赶快盖好被子，准备快快入睡。可是不一会儿，她又一个鲤鱼打挺，坐了起来——“我忘记做祷告了！”原来，海蒂一直记着法兰克福奶奶的话，每天坚持在睡前做祷告呢。小海蒂已经不是个会忘记祈祷的孩子了。

等她在心里虔诚地为奶奶、爷爷，还有自己祈祷一遍后，立刻倒在了柔软舒适的干草床上，甜甜地睡了过去。

彼得带来的惊喜

第二天，彼得因为害怕牧场大叔的惩罚，准时来上学了。不过也是坐在后面，开着小差，什么都听不进去。他和海蒂不同班，放学时间也比海蒂晚。这天他上完课，刚走进大叔家，海蒂就迫不及待地朝他跑了过去，看起来已经专门等他很久了。

“彼得，我有个好主意要告诉你。”她兴奋地一蹦一跳。

“什么好主意？”彼得问。

“教你学会朗读！”

“可我都学过了呀。”彼得疑惑地回答道。

“我的意思是说，教你真正学会！”海蒂一脸认真，“那样，所有奶奶想听的东西你就都可以读了。”

“得了吧，我学不会。”彼得干脆地回答，好像这个问题毋庸置疑一样。

“我不信。”海蒂更加干脆地反驳道，“克拉拉的奶奶说过，没有学不会这回事儿，我觉得她说得完全正确。”

彼得怔住了：这和法兰克福老夫人有什么关系呢？

“我来教你，你一定能学会。”海蒂继续说，“学会后，你就可以每天给奶奶朗读一首赞美诗了。”

“不可能。”彼得嘟囔道。

海蒂生气了，在她心里，学会朗读意义重大，彼得却这么固执地反对，真是可恶。她走近彼得，两眼冒火，用威胁的语气说道：

“你知道不学的后果吗？你妈妈已经说过要把你送到法兰克福去学习了。我可知道那里的学校是什么样子。克拉拉和我出门时，曾指给我看过那座学校，房子非常大，去那里的学生，得一直学到成人的那一天。而且，你不要盼着那里会像咱们这儿一样，只有一个和蔼可亲的老师随便你糊弄。那里进进出出的老师特别多，都穿着一身黑衣，面无表情，像要去教堂似的，而且他们头上还戴着这么高的黑色礼帽。”海蒂边说边用手比画着帽子的高度。

彼得听了，顿时感到后背一阵发凉。

“如果到了那里，你就得和那些先生们在一起。”海蒂越说越起劲，“等轮到你的时候，你什么都不会读，甚至还要犯拼读错误，那你就等他们好好地笑话你吧。”

“别说了，我学就是了。”彼得极不情愿地说。

海蒂立刻恢复了笑容，语气也缓和了下来。

“这就对了！我们马上开始。”说着，海蒂就把彼得拉到桌旁，书早就摆在那里了。

这是本海蒂很喜欢的字母歌谣书——是克拉拉托医生带给她的。她昨晚就想到用它来教彼得了。

现在，两个人并肩坐在桌前，低头看着书，开始上课了。

彼得专心致志，一个字一个字地拼读着第一首歌谣，不断反复着，但仍达不到海蒂要求的准确和流利的程度。

几遍之后，海蒂说道：“你读得还是不对！现在，我先来给你从头到尾读一遍。你知道它的意思后，就会容易得多。”

于是，海蒂开始读了起来：

“要是 ABC 都不懂，就得把你扔到鬼洞。”

“我可不去！”彼得咕哝着。

“不去哪里？”海蒂问。

“鬼洞。”彼得老老实实地回答。

“那就抓紧时间学会这三个字母，你就不用去了。”海蒂催促着。

彼得只好耐着性子把这三个字母反复读了又读，直到海蒂满意了为止。

海蒂发现歌谣对彼得的作用很大。她想让彼得预习一下以后要学的内容，“等一会儿我们再结束。现在我接着往下读，你仔细听着。”

说完，海蒂拿起书，口齿清楚地读了起来：

“DEFG 不读烂熟，以后准要把苦吃足。
HIJK 一知半懂，是个倒霉的糊涂虫。
LM 念得磕里磕巴，丢脸还要受到惩罚。
你要是不想挨顿揍，赶快记牢 NOPQ。
读到 RST 就倒退，那就得让你遭点罪。”

海蒂读到这儿，突然停了下来。因为彼得没有了声音，出奇的安静。她奇怪地抬头一瞧，只见彼得正呆呆地瞪着课本——他早被这一连串唬人的词汇吓得六神无主了。

海蒂的心立刻软了下来，连忙安慰彼得：“彼得，你别怕。只要你每天晚上到我这儿学习，像今天这样好好学，很快就能学会这些字母，歌谣里的事都不会发生在你身上的。从今天开始，你不能再像以前那样三天打鱼两天晒网，就是下雪，你也都得来学习。”

彼得不敢再犟，老老实实答应下来。因为海蒂描绘的法兰克福学校的景象，还有歌谣中的诅咒真是把他吓坏了。

从那以后，彼得不敢违拗海蒂的命令，每天晚上都准时来读书识字，很快就有了很大的进步。每次一番苦学之后，爷爷都会留彼得享受一顿晚餐。被歌谣弄得够呛的他也总算得到了足够的补偿，第二天还愿意来学。

经过一段时间与歌谣的苦斗，彼得终于学完了所有的字母。

就在学完 Z 的这天，山里又下起了雪，地面覆盖上了一层松软的新雪。接下来，这样的天气持续了很久，海蒂已经三个星期没能上山去看奶奶了。她只能更加用心地教彼得，好让他尽快代替自己为奶奶朗读赞美诗。

这天晚上，彼得从海蒂家回来，一进门就骄傲地向妈妈宣布道："我会了！"

"会什么了，彼得？"妈妈连忙问他。

"朗读！"彼得大声回答。

"真的？奶奶，你听到了吗？"布丽奇激动地喊道。

奶奶也听到了，又惊又喜：这怎么可能呢？

"我这就给您读一首赞美诗，海蒂吩咐的。"彼得继续说道。妈妈忙把那本诗集拿来，奶奶坐下来认真倾听。彼得往桌边一坐，打开书，一本正经地读了起来。他每念一句，侧耳倾听的妈妈就惊叹一句："他真的会读了！这太不可思议了！"

奶奶也紧张地一句一句地听着，但是她什么也没说。

第二天，学校的朗读课上，轮到彼得的时候，老师说："彼得，我们还是像平常那么把你跳过去吧。或者，你还是试一试——我不求你朗读出句子，只要能读出一两个词就行。"

没想到，彼得拿起书，一口气读了三行，非常流利。

老师放下手中的书，目瞪口呆地直盯着彼得，半天都说不出一句话来，"真是奇迹！我以前那么费尽心思地教你，你连字母都念不会。可你现在不但发音准确，连句子也读得清楚流畅。你是怎么做到的，彼得？"

"海蒂教我的。"彼得回答。

老师惊愕地转眼去看海蒂。海蒂还是像平时一样，天真无邪地端坐在那里，身上看不出有什么与众不同的东西。

“你和以前不大一样了，彼得。过去你总是整星期地缺课，有时甚至一连好几个星期不来。可最近你天天都来上学，这是因为谁？”

“牧场大叔。”彼得回答说。

老师越发惊奇了，看来牧场大叔一家人是有魔力的，能让顽皮又不开窍的孩子学会朗读。这天一放学，老师就急匆匆地跑到牧师那里，告诉他这个消息。之后，全村人都对海蒂和她爷爷给村里带来的各种正面影响赞不绝口。

从那以后，彼得每天晚上回家后都给奶奶朗读一首赞美诗——只读一首，从来不多读。奶奶也从不多提要求。作为母亲的布丽奇每天都对儿子的进步感叹不已。有时候，彼得读完上床睡觉后，她就对奶奶说：“彼得读得这么好，不知道这孩子将来会有多大出息呢！”

有一次，奶奶听了后回答说：“是啊，他的确进步太多了。不过，我还是盼着春天快来，好让海蒂能上山来。彼得读的赞美诗里总像是缺了点什么，听着听着就糊涂了，不像海蒂读的那样让人感动。”

这是怎么回事呢？原来啊，调皮的彼得朗读时总想偷懒。他一碰上长一点、难一点的词就跳过去，心想一首诗里那么多词，少了三四个对奶奶来说也无所谓。这样一来，彼得读的诗歌里总是缺少了一些让人产生共鸣的东西，还经常让奶奶听不懂。

远方的来信

美好的五月翩然而至。这天，彼得又跑到牧场大叔家来，这次，他带来了一封来自法兰克福的信。

亲爱的海蒂：

告诉你一个好消息，我们已收拾好行李，两三天后就出发。爸爸也准备好了，但他不和我们一起去，他要去一趟巴黎。

克拉森医生每天都来，总是不断地催着我们早点儿动身。他好像比我还着急呢，上次的旅行给他留下了非常美好的印象和回忆。整整一个冬天，他经常来看我，给我讲述他同你和爷爷一起度过的美好时光，讲高山牧场上的美景，讲远离村落和街道的高山上那新鲜的空气和幽静宜人的氛围。他常常说："在那高处，呼吸着芬芳的空气，人人都会重获健康和快乐！"的确，就像爸爸说的，医生回来后就像是变了一个人，看上去既年轻又快乐！

你想象不出我有多盼望能和你一起看山上的一切，能结识彼得和那些可爱的山羊！不过，我先得在拉加兹疗养六个星期，然后，我们就去德芙里村住下。这样，天气好的时候，我就可以坐着轮椅上山去。

奶奶这次会和我一起去，她非常的想念你。对了，有个更加让你松口气的好消息要告诉你，罗藤梅尔小姐不去！虽然奶奶一直邀请她："一起去瑞士旅行怎么样，亲爱的罗藤梅尔？你要是愿意，尽管直说，不要怕不好意思。"可她总是婉言谢绝，说不想打扰我们一家人的旅行。其实，我非常明白她的心思。塞巴斯迪送你回来后，把你的家乡描述成了一个非常可怕的地方，说那里净是悬崖峭壁，一不小心就会掉下去；山路很陡峭，爬山的人随时都有可能坠落山谷。他还说那种地方只适合山羊，绝对不适合人类！罗藤梅尔小姐吓坏了，对瑞士之行压根儿就没有了兴趣。蒂奈特也吓得不敢去了。所以，只有塞巴斯迪陪我和奶奶，但到了拉加兹后，他就得回去了。

真盼着快一点儿见到你，我一刻都也等不下去了！

祝好，亲爱的海蒂。奶奶也向你问好。

你的好朋友克拉拉

这封信让海蒂欢欣鼓舞，从那天开始，她就一直为克拉拉的到来做准备，每天都充满了希望和热情。就这样，春光明媚的五月过去了，迎来了阳光璀璨的六月。白天越来越长了，漫山遍野都是竞相开放、争奇斗艳的花朵，空气中弥漫着醉人的芳香。

眼看着六月也快要过去了。这天早晨，海蒂做完家务活儿，跑到门外，准备从杉树后面再往山上爬一点，去看怒放的矢车菊。她刚要绕过茅屋时，突然大叫起来，吓得爷爷赶紧走出小工棚来看看出了什么事。

“爷爷，快来！”海蒂激动得不能自已，“快来看啊！”

爷爷走过去，顺着海蒂手指的方向望去，只见一列引人注目的队伍正朝山上走来。走在最前面的是两个男子，他们抬着滑竿，上面坐着个女孩儿，全身裹得严严实实的；紧随其后的是个雍容华贵的妇人，她骑着马，一面兴致勃勃地东张西望，一面跟旁边年轻的向导谈天说地。再后面的两个人，一个推着

个空轮椅，另一个背着一个大筐子，里面装满了一大堆毛毯、布单、皮革之类的东西，比他的脑袋都高出了一大截。

“她们来了！她们来了！”海蒂高兴地大喊大叫、连蹦带跳。

真的是她们——克拉拉和她的奶奶，海蒂盼望已久的法兰克福来的客人！她们越来越近，终于爬上山来。滑竿刚一落地，海蒂就冲了过去，两个孩子相互问候，十分开心。奶奶也下了马，亲热地搂住朝她扑来的海蒂。然后，她转向前来欢迎的牧场大叔。两个人像是相识多年的老朋友一样，毫不拘谨地握住了对方的手。

相互问候以后，奶奶兴奋地说：“大叔，您住的地方实在太美了！难怪这里的人都是这样漂亮！瞧，海蒂气色多好，简直像朵夏天的玫瑰花儿！”

奶奶边说边把海蒂揽进怀里，亲热地抚摸着海蒂红润的面颊。克拉拉也早就被美丽的景色深深陶醉了。“这里太美了，简直是天堂！”她忍不住地感叹，“奶奶，我真想永远留在这里！”

这时，爷爷把轮椅推了过来，又从筐子里拿出几块毯子铺在上面，然后走到克拉拉跟前：

“让我把你抱到轮椅上去吧，那样会舒服一些。”

说完，爷爷立即就用结实有力的双臂把克拉拉从滑竿上轻轻地抱起来，小心翼翼地放到柔软的轮椅上，然后轻柔地给她盖好毯子。这温柔的举动让奶奶都吃了一惊。

茅屋、杉树、高耸的灰色山岩在阳光下熠熠生辉，克拉拉被眼前的每一处景物深深吸引，怎么看也看不够。

“啊，海蒂，要是我能和你一起到处跑，那该有多好啊！”她充满渴望地说，“真想把你给我讲过的地方都看一遍……啊，花儿！”她的眼睛亮了起来,“好大一片漂亮的红花！还有蓝铃花！我真想跑过去采一把！”

海蒂忙跑过去，采了一大把回来，放在克拉拉的腿上。

“这还不是最漂亮的，等我带你去看高山牧场的花儿吧，漫山遍野到处都是，那才叫好看呢！”她说，“矢车菊、比这里多得多的蓝铃花、成千上万朵的黄色柳兰，开得美极了。另外一种花，叶子大大的，爷爷管它叫作‘太阳的眼睛’；还有一种褐色的花，脑袋圆圆的，闻起来可香啦……”

海蒂描述着，眼睛闪闪发亮，克拉拉想象着那种场面，温柔的眼睛里充满了热切的向往,“唉，海蒂，要是我能走，该有多好啊！”

海蒂与客人们在杉树下聊天的时候，爷爷可没闲着。他已经搬出了桌椅，摆好了餐具。

茅屋里的炉火上，羊奶在铁锅里冒着热气，架子上的奶酪烤得金黄。不一会儿，爷爷把吃的、喝的全端上桌，大家坐下来高兴地吃起午饭来。

赛斯曼老夫人非常喜欢这个很不寻常的“餐厅”，此处低头可见青山翠谷，抬头可见万里晴空。一阵清风徐徐吹来，给餐桌上的朋友们送来了舒适的凉意，杉树也随之发出沙沙的响声，奏出美妙的音乐来佐餐。

“我没看花眼吧？”奶奶惊呼道,“克拉拉，你这已经是第二片奶酪了吧？”

“是的, 奶奶, 这太好吃了！比拉加兹的所有饭菜都要好吃。”克拉拉说着又很享受地咬了一口奶酪。

“那就多吃些！”牧场大叔高兴地说。

这是一顿十分愉快的午餐，赛斯曼老夫人和牧场大叔非常谈得来。他们俩虽然第一次相见，却像是交往多年的挚友。

这天晚上，两个大人商量一番，决定让克拉拉就住在海蒂家，奶奶则回到拉加兹去，过几天再来接克拉拉回去。两个孩子听说能住在一起，都高兴极了。

天完全黑了下来，一天就要结束了，而对克拉拉来说，最美妙的时刻刚刚降临。

她和海蒂躺在干草床上，面对着群星灿烂的星空。克拉拉欣喜若狂地喊道：“海蒂，快看哪！我们简直就像坐着马车向天堂驶去！”

“是啊。克拉拉，你知道那些星星为什么那么快活地冲我们眨眼睛吗？”海蒂问道。

“我不知道，你说为什么呢？”克拉拉反问道。

“因为它们在天上看到了我们，在为我们高兴，所以才冲我们眨眼睛。克拉拉，我们来祈祷吧，祈求上帝好好照顾我们，让我们能心想事成、无所畏惧。”

于是，两个人又重新坐起来，做了晚祷。很快，海蒂就睡着了，而克拉拉却总也舍不得闭上眼睛，她这是第一次躺在一张洒满星光的床上。住在城市大宅里的她，几乎没见过星星，因为她从未在晚上出过门，而房间的窗户还不等星星出来，就拉上了厚厚的窗帘。现在她一闭眼，就忍不住又要睁开，看看那两颗特别明亮的大星星——它们果真如海蒂说的那样，一闪一闪地眨着眼睛。

有朋自远方来

克拉拉的山居生活

太阳刚刚升起，牧场大叔就已经醒了。他先走到屋外，呼吸一下新鲜空气。然后就回到屋里，轻声慢步地爬上阁楼，怕吵醒两个孩子。不过，克拉拉已经醒了，正静静地欣赏着窗外照进来的阳光。

“早上好，睡得如何？”牧场大叔和蔼地问道。

“很好，一觉睡到现在。”克拉拉回答。牧场大叔点点头，帮克拉拉穿起衣服来。

过了一会儿，海蒂也醒了，她一睁眼，正看到爷爷抱着克拉拉下楼。她也马上从床上一跃而起，快速穿好衣服追了下去。当她跑到门口，发现爷爷已经把门框的两侧做成了可以推拉拆卸的木板装置，这样克拉拉的轮椅就能进到屋里来了。

凉爽的晨风轻轻拂过两个小姑娘的脸庞，送来一阵阵杉树的清香，克拉拉情不自禁地靠在椅背上，深深地吸了一口气，感到心情无比舒畅。这是她有生以来第一次在广阔的大自然中呼吸早晨清新的空气。“海蒂，这里真好，我真希望能永远待在这儿！”“现在你知道我说得没错了吧，高山牧场上爷爷的小屋，是世界上最棒的地方！”海蒂自豪地回答。

这时，爷爷从羊圈里走出来，端着两碗冒着泡沫的羊奶，一碗递给克拉拉，一碗递给海蒂。

“这对你的身体大有好处。”爷爷向克拉拉点了点头说，“是从白菊身上挤的，非常补身体。来，喝掉吧！”

克拉拉从未喝过羊奶，她犹豫地闻了一下。可是，当她看到海蒂那么痛快地一饮而尽后，便端起碗一口一口地喝了起来——羊奶很是甘美香甜，带着糖和肉桂的味道。于是，她也把奶喝得一滴不剩。

“明天我们喝两碗。”爷爷看着克拉拉像海蒂一样把奶喝得精光，满意地说道。

这时，彼得赶着羊群来了。羊儿们像往常一样从四面八方涌向海蒂，一个劲地咩咩直叫。爷爷只得把彼得拉到一边，好让他听得见自己的嘱咐。

“羊司令！”爷爷说，“从今天起，让白菊自由行动，它想去哪里就让她去哪儿里。我想让它产的奶再好一些。它会知道哪里的草最好。嘿，你怎么老瞅着那边，像是想要把谁吃了似的？好了，她们不会碍你的事儿的。去吧，记着我的话。”

彼得一向很听牧场大叔的话。他立刻就上路了，但却一步三回头，眼珠子不停地在那两个女孩身上打转，像是有什么心事儿似的。这时，羊群紧跟着彼得向山上跑去，海蒂也被簇拥着往前走了一截。这对彼得来说再好不过了！

“你得跟我去，”彼得对海蒂大声说道，“想要让我跟着白菊，

你就得和我一块儿去。”

“我去不了。”海蒂回答说，“克拉拉在这儿的时候我都不能去。不过，爷爷已经答应我了，说哪天带我们大家一起去。”说话的当儿，海蒂已从羊群中脱身出来，跑回到克拉拉的身边。见此情景，彼得不由得紧握两个拳头，气冲冲地朝着轮椅的方向挥了挥。然后，他一转身跟着羊群，头也不回地一溜烟向山上跑去，很快就消失在海蒂她们的视线之外。

克拉拉和海蒂计划要做的事情太多了。她们俩答应过奶奶每天都要给她写一封信，告诉她克拉拉在山上的情况。这样，奶奶就能在必要的时候立刻动身上山，平常就可以安心地在拉加兹疗养了。

“我们必须进屋去写吗？”克拉拉问。她舍不得离开这美丽的户外。海蒂立即跑进屋，拿来小三脚凳、课本和纸笔。她把课本放在克拉拉的腿上当书桌，自己则坐在小三脚凳上，用长椅当桌子。两个人就这样开始各自给奶奶写信。可是，克拉拉每写一句就得放下铅笔，东瞧瞧西望望。因为这里实在太美了！

不知不觉，已是正午。爷爷端来两碗热气腾腾的鲜奶。他说只要是白天，克拉拉就应该待在户外。所以，和昨天一样，三个人坐在茅屋前愉快地享用着午饭。

吃过午饭，海蒂就把克拉拉推到杉树下。整个下午，她俩都坐在树荫下，相互讲述分别后彼此身边发生的各种事情，一片欢声笑语。

不知不觉，已经到了傍晚时分。彼得赶着羊群回来了，他依旧是一脸不高兴的模样。

“晚上好，彼得！”海蒂和克拉拉都友好地和他打招呼。但彼得根本就不搭理她俩，愤愤地赶着羊群径自下山去了。

爷爷把白菊带进了羊圈，克拉拉一看到它，立刻想起那香喷喷的羊奶，馋得口水都快流出来了。

“这真是奇怪，海蒂，”克拉拉说道，“从记事起，我总觉得吃东西是一桩不得已的事情，老是在想：要是我一辈子都不用吃东西那该有好啊！可是现在我居然恨不得爷爷马上就把羊奶给我端来。”

“那是因为你以前吃的东西不好吃，在这里，有的是好吃的东西，你可以尽情吃喝！”海蒂高兴地说。

克拉拉对自己的变化感到很惊奇。她以前从未在户外度过一整天，更不了解高山上的空气竟然有这么神奇的力量。

终于，爷爷端来了羊奶，克拉拉迫不及待地接下一碗，一饮而尽。这一次，她比海蒂喝得还快。

“能再来一碗吗？”她把碗递给了爷爷。

爷爷满心喜悦地点点头，又拿过海蒂的碗进了屋。端回来的时候，两个碗上都盖着一块涂上厚厚一层黄油的面包——这是今天的大餐。两个孩子立刻抓起面包，狼吞虎咽起来，爷爷站在旁边看着她俩的吃相，不由得乐了。

晚上，克拉拉打算躺在床上再次遥看闪烁的星空，但是脑袋一挨枕头，眼皮就立刻合上了，很快就进入了甜甜的梦乡。

接下来的日子，对克拉拉来说就像活在美梦里。她对山居生活的迷恋与日俱增，在给奶奶的信里总也说不完爷爷的慈祥和对自己体贴入微的照顾，道不尽海蒂带给她的无穷乐趣，那可比在法兰克福时还要有趣得多。奶奶看到她过得这样舒心，也放心了许多，不急着上山了，毕竟，骑着马上下山对她老人家来说可不是一件轻松的事情。

爷爷也越来越喜欢他的小客人了，每天都想方设法地去增强她的体质。每天下午，他都不辞辛劳地翻山越岭去采摘一些特殊的植物和药草——那是专门给白菊享用的，让她产出更有营养的奶汁。这种特殊的待遇很快就见效了。白菊越来越充满活力，产的羊奶也越来越美味可口。

转眼间克拉拉来到高山牧场后的第三个星期来了。每天早晨，爷爷把她抱到轮椅上的时候都要问一句："小姑娘，想不想试着站一下？"

克拉拉一心想让爷爷高兴，就试了一下，可脚刚一挨地，她就大喊了一声："哎哟，好疼！"然后，赶忙紧紧抱住爷爷。尽管如此，爷爷仍然坚持每天让她站一会儿，而且一点儿点儿延长她站立的时间。

阿鲁姆山已经很多年没有这么美丽的夏天了。整个夏天，每天都是万里无云，阳光灿烂。所有的花儿都快乐地向太阳绽开笑脸，散发出怡人的清香。日落西山时，玫瑰红色的余晖洒遍山峰和雪原，将大地映染成一片万紫千红的世界。

海蒂把这种只有在上面牧场上才能看到的景象给克拉拉描述了很多遍，并告诉她，在她自己最喜欢的高山牧场上一切都是格外美丽。

这天，海蒂坐在树荫下，又给克拉拉描绘着高山牧场那壮美的景色。讲着讲着，她按捺不住，一下子跳了起来，跑到正在工棚里忙活的爷爷那里。

“爷爷！”她远远地就喊，“明天我们一起去牧场好吗？现在那里一定美极了！”

“没问题。”爷爷同意了，“不过，那位小姑娘先得答应我一件事儿。今天晚上，她得试着自己站起来才行。”

海蒂急忙跑回去把这个好消息告诉了克拉拉。克拉拉一听要去美丽的高山牧场，欣喜若狂，连忙答应一定会按爷爷的要求多练几遍站立。

海蒂为此特别兴奋。这天傍晚，她一看见彼得，就冲着他大喊道：“彼得！我们明天要和你一起上山，在那里待上一整天了！”

但彼得却像一头被激怒的狗熊，只是吼了一声，还怒气冲冲地扬起鞭子要抽打乖乖跟在他身边的金翅雀。机灵的金翅雀奋力一跳，从小雪身上一跃而过，让鞭子落了个空。

晚上，克拉拉和海蒂躺在舒适的床上，满脑子都是明天的计划，她俩决定彻夜不眠、谈个通宵。可是，没想到脑袋一挨枕头，两个人就立刻进入了梦乡，谁也没了声音。

梦里，克拉拉看见了一片一望无际的草场，开满了美丽的蓝铃花；海蒂则听见了老鹰在高空中的呼唤：“来吧！快来吧！”

奇迹降临

连续几个星期，彼得心情都十分糟糕，因为他几乎已经完全失去了海蒂。现在的海蒂总和那个坐在轮椅上的小姑娘形影

不离。眼看夏天都快要过去了，海蒂还一次没和他相伴上过山。好不容易今天要去，却也只是为了带那个坐在轮椅上的小姑娘去看看。想到这儿，他就气不打一处来。这时，他正好看到了茅屋前的轮椅。彼得恶狠狠地怒视着这个害他失去伙伴的罪魁祸首，就像面对一个宿敌。他四下张望，见周围一个人都没有，于是，他怒气冲冲地向轮椅扑去，抓住它猛地往山崖下狠命一推，只见轮椅顺着陡峭的山坡骨碌滚了下去，转眼就不见了踪影。

做了这件事，彼得马上向山上狂奔，直跑到一大片可以藏身的黑莓灌木丛后才停下，他害怕被牧场大叔发现，但仍想知道轮椅到底会摔成什么样子。只见轮椅正以越来越快的速度沿着山势翻滚，不断地弹起再重重地落下，最后终于摔得粉身碎骨。

彼得见此情景得意忘形，不禁放声大笑起来。他以为，没了轮椅，那个讨厌的小姑娘就没有了行动工具，无法走动，只能打道回府了。海蒂就又可以经常和他一起去放羊了。

就在这时，海蒂走出了屋子，爷爷抱着克拉拉跟在后面。工棚的门大开着，却怎么也找不到轮椅的影子。海蒂又跑到屋后找了找，最后一脸疑惑地跑了回来。

爷爷走了过来，问道:“怎么回事，海蒂？你把轮椅推走了？”

“我也正在找呢，爷爷。您不是说放在工棚门口了吗？”海蒂一边说一边还不停地四处张望着。

这时，一阵大风吹来。工棚的门被吹得嘎嘎作响，接着“砰”的一声撞到了墙上。

“爷爷，可能是风把它吹跑了！”海蒂忽然眼睛一亮，“要是风把它一直吹到德芙里的话，要找回来得花上好长时间。那我们就来不及上山了。”

“真要是滚得那么远的话，它早就摔得个稀巴烂，找不回来了。”爷爷说着绕过小工棚，走到山边朝山下望了望。

“唉，太糟糕了！今天上不了山了，也许就永远也上不了！”克拉拉懊丧极了，“没有了轮椅，我还怎么在这里待下去呢？”

“不要担心，无论怎样，今天都会带你上山。”爷爷拍了拍克拉拉的肩。听到这话，两个小女孩都欢呼雀跃起来。

爷爷进屋拿出一沓毛毯，铺在屋外有阳光的地方，然后把克拉拉放了上去。接着，他又给两个孩子端来早餐用的羊奶，最后又把白菊和棕熊牵出了羊圈。

“奇怪，那小子怎么还没有上来？”爷爷若有所思地说道，“今天他太晚了。”他一直到现在还没有听见平日那熟悉的口哨声。

孩子们吃完早餐后，爷爷一手抱起克拉拉，一手拎起毛毯说：

“好了，现在出发吧，”说着，他迈开大步，“把山羊也带上。”于是，这一天的旅行少了彼得这个做了坏事儿的淘气包。

傍晚，彼得回到德芙里村的时候，看见一大群村民正围在一起，挤来挤去地争着往里面瞧，他忍不住想看个究竟，左冲右突地钻了进去，终于，他看见了——克拉拉轮椅的残骸。

地上的那个东西是那辆轮椅的中间部分，一块椅背还挂在那儿，红色的坐垫和闪闪发亮的铜钉彰显着它过去的精美和豪华。

“脚夫抬它上山的时候，我看见过。”站在彼得旁边的面包师说，“我敢打赌，它肯定值很多钱。真想不出怎么会发生这种事情。”

“大叔说可能是被风刮下山的。”芭毕说道，她对眼前的红色坐垫一直赞不绝口，怎么看也看不够。

“希望牧场大叔说得没错。”面包师又说道，“要是谁捣鬼推下来的，可就惹大麻烦了。法兰克福那位先生肯定会让人来找出真相，弄个水落石出的。我肯定是与这事儿毫无干系的，我都两年多没去过牧场大叔的茅屋了。”

人们七嘴八舌地议论起来。彼得不敢再听下去，悄悄地钻出人群，向家里飞奔而去，仿佛后面有人追着要抓他似的。面包师的话让他不寒而栗。他担心法兰克福的警察随时会来，查出这事儿是他干的，那么他就会被抓起来扔进大牢。想到这里，彼得不由得心惊胆战，毛发倒竖。

他失魂落魄地回到家，什么也没说，什么也没吃，倒头就钻进了被窝里，痛苦地呻吟起来。

“这孩子一定又是吃了酸果子，胃里不舒服，所以就哼哼叽叽。”布丽奇得出了结论。

虽然心虚，彼得还是在第二天跟着克拉拉和海蒂上了山去。临行前，在高山牧场，大叔还问了彼得轮椅的事儿，彼得只是把眼睛一翻，连说自己从没见过，其实他的心都要跳出嗓子眼了。不过海蒂和克拉拉都没有察觉，她们都只惦记着牧场上美丽的景色。

如今，山坡上已鲜花盛开。海蒂跑到坡上，看着金黄的沙漠坐莲在灿烂的阳光下怒放，深蓝色的蓝铃花、吊钟草在风中摇曳生姿，报春花散发着甜蜜的芬芳，还有其他各种各样的花儿也在展现着自己美妙的身姿。

海蒂陶醉了，她静静地站在那里呼吸着花儿的芬芳，忍不住回头对坡下草坪上席地而坐的克拉拉激动地叫喊道：“克拉拉，你一定得来这边看看！”她大声说道，“真是太美了！到了傍晚就没那么美了。我背你过来！”

克拉拉也很向往那片花海，但她摇了摇头：“海蒂，你个头比我小多了，背不动我的。唉，要是我能走路就好了！”

海蒂马上开始开动脑筋，这时，她注意到了一直闷闷不乐、心事重重的彼得，马上对他喊道：“喂，彼得，快跟我一起到克拉拉那儿去！”

彼得最讨厌克拉拉，现在还愧对她，闷哼一声，嘟囔道:“我才不去呢。”

“快点，否则我就给你点颜色瞧瞧！”海蒂故意凶巴巴地说，“我要写信让他们把你带去法兰克福！”

这是彼得最害怕的事儿，他只好不情不愿地迈开了步子，来到了克拉拉身边。海蒂马上忙活了起来：彼得在一边，她自己在另一边，两个人一起架住克拉拉的胳膊，把她扶起来。一切进行得很顺利，可是困难在后面，克拉拉根本站不住，无法向前走。

“克拉拉，你用一只胳膊搂住我的脖子。那只手扶着彼得的胳臂，这样我们就可以架着你往前走了。”

克拉拉抓住了彼得的胳膊，但是彼得一直僵硬地垂着胳膊，克拉拉根本使不上力。

“你这样是不行的，彼得。”海蒂说道，“你得把胳膊弯起来，这样克拉拉才能牢牢勾住。现在好些了，来，我们往前走。”

三个人开始向前挪步，但是事情并不像海蒂想象的那样容易。克拉拉的身体不轻，而两边的支撑一高一矮很不平衡。克拉拉小心翼翼地挪动着两条腿，可是每次脚一挨地，就立刻缩了回来。

“你要用力踩下去，”海蒂建议道，“踩实了就不会那么疼了。”

“真的吗？”克拉拉半信半疑地问道。但是她还是鼓起勇气，按照海蒂说的，先把一只脚扎扎实实地踩到地上，然后再迈出另一只脚。“你说得对！真的不那么疼了。”克拉拉兴奋地叫了起来。

“再试一下！”海蒂鼓励她。

克拉拉又试着往前迈了几步。突然，她大声喊道：“海蒂！看哪！我能走路了！我能走路了！”

海蒂的叫喊声更大：“真的！你能走了，你真的能走了！哦，要是爷爷看见就好了！”

克拉拉仍然紧紧地扶着海蒂和彼得，但是她一步比一步走得稳当。这一点，他们三个人都明显地感觉到了。海蒂喜出望外、欣喜若狂。

“啊，这下我们每天都可以到牧场来了，想到哪里就到哪里！”海蒂又大喊道，“你再也不用坐着轮椅被推来推去的了！”

那天，在海蒂和彼得的帮助下，克拉拉走上了那道山坡，看到了迎风招展的红色矢车菊，闻到了野梅和李脯飘来的阵阵香气。她的心里涌动着说不出的喜悦，周围的一切看上去，都美妙无比，让她永生难以忘怀。

从那天开始，克拉拉每天都会练习一会儿走路，她走得一天比一天轻松稳健，距离也越来越远。这种练习还使她的胃口大开，爷爷的奶油面包一天比一天切得厚实，给她盛的鲜奶也是一碗接着一碗。看着克拉拉迅速地将这些东西一扫而光，爷爷打心眼里感到高兴。关于这些喜人的变化，爷爷建议克拉拉写信告诉奶奶，可是两个小姑娘经过商量，决定先暂时保密，让克拉拉继续练习，等她能完全独自行走了，再告诉奶奶，给她一个更大的惊喜。爷爷说，以克拉拉现在的进步速度，想要实现这个目标，大概只需要一个星期。于是，两个小姑娘便在信里请奶奶一个星期后一定上山来，但对克拉拉的事儿只字未提。

就这样，快乐的一个星期过去了。

彼得认错

奶奶收到克拉拉和海蒂的信，很快做了回复，承诺一定会按时来。这封信是由彼得第二天放羊时捎上山的。他来到山顶，正看见海蒂和克拉拉在屋外逗白菊和棕熊，爷爷则站在一边心满意足地望着两个小女孩快乐玩耍的样子。彼得一看到克拉拉的腿，心里就打鼓，他慢慢地挪到爷爷身边，把信往爷爷手里一塞，然后一溜烟就跑了，好像生怕谁会在后面追他一样。海蒂望见彼得这样，满腹狐疑，问爷爷："您不觉得彼得最近很奇怪吗？像那只叫土耳其大汉的羊听见鞭子响一样，动不动就缩头缩脑地乱跑。"

爷爷看着彼得的背影，嗤笑一声，回答道："可能他也觉得自己欠揍吧，才总觉得自己身后有鞭子。"

接到奶奶的信后，海蒂花了整整一上午的时间，将茅屋里里外外都打扫了一遍，好让奶奶进屋来待得更舒适。克拉拉则坐在一边，看着海蒂把一切收拾得井井有条，激动地等待奶奶的到来。

爷爷也为奶奶的到来花了心思，他上外面走了一圈，采了一大束蓝色的龙胆花。盛放的龙胆花还挂着清晨的露珠，在阳光下闪闪发光，美不胜收。两个小姑娘看了都很高兴。海蒂耐不住性子，开始从椅子上跳上跳下，时不时向远处张望，希望能看见奶奶一行人的身影。

终于，她看到了那支向上攀登的队伍。走在最前面的是向导，接着就是骑在马背上的奶奶，最后是背着一堆东西的脚夫。

“来啦，来啦！克拉拉，我们快出去迎接奶奶！”海蒂激动地喊叫起来，克拉拉也兴奋得说不出话来，她拉着海蒂的手，走了出去。

当奶奶到达茅屋跟前的平地时，她简直不敢相信自己的眼睛，眼前的两个孩子，显然就是海蒂和克拉拉，但是，克拉拉的轮椅呢？她居然是直直地站着的，只不过一手扶着海蒂的肩，她看起来比之前高了许多，也壮了许多，金色的头发比以前更加耀眼了，脸色也红润了不少。奶奶简直激动得想要落泪。她紧紧地拉住克拉拉的手：“克拉拉，你能站起来了吗？你真的能走了吗？”

“是啊，奶奶，我能走了！”克拉拉用洪亮的嗓音回答，“这都是因为海蒂和爷爷！”

奶奶看着海蒂红红的脸庞和黑黑的眼睛，忍不住地爱怜。“我的孩子，你一直都是我们的福星，我真的要感谢你，你给克拉拉带来了欢乐，还让她站了起来。”

这时，奶奶注意到了一直站在一边，一脸欣慰的牧场大叔，马上走了过去，友好地伸出了手，真诚地致谢："大叔，多亏了您无微不至地照料，我的孙女才能站起来。"

"这都是我应该做的。"大叔微笑着说，"克拉拉是个可爱的孩子。"

这时，彼得悄悄地溜了上来，他看到法兰克福的奶奶来了，吓得不行，以为奶奶是要来抓他兴师问罪的，忙瑟瑟发抖地躲到了一边，只是愣愣地站着，不说话。

爷爷去准备午饭了，奶奶在屋子的周围随意转转，这时，她看到了那束美丽的蓝色龙胆花，惊喜不已，忙叫两个女孩子过来："孩子们，快过来。这束花是谁摘来的？海蒂，是不是你这个小机灵鬼？这真是太漂亮了。"

"不是我呀，奶奶，但我知道是谁。"

其实，海蒂想要说出答案，但是还没等她讲出来，奶奶就发现了躲在一边的彼得。她热情地拉住彼得，"孩子，是不是你做的？所以才扭扭捏捏地不敢靠近？"

"您已经发现了吗？我……"彼得以为奶奶问的是轮椅的事儿呢，吓得两腿发软。

"怎么这么惊慌呢？这又不是坏事儿。"

"这……这的确是坏事儿。"彼得哆哆嗦嗦地说。

"它很漂亮呀。"

"但是，它已经粉身碎骨了……"说完这句话，彼得彻底受不了了，一溜烟跑开了。

"这孩子是怎么了？"奶奶十分诧异，这时，爷爷正好做好了饭，倚在门边，看到了这一幕，忍不住笑了起来。从这几天对彼得一举一动的观察，尤其是刚才他说的那些颠三倒四的话，爷爷就明白轮椅事件的始作俑者到底是谁了。他把这件事告诉了奶奶，两位老人都哈哈大笑。

“我们不能惩罚这个小朋友了，其实从他的角度来考虑，会产生不好的情绪也是很正常的。我们这些法兰克福的陌生人，抢走了他唯一、又这么可爱的好朋友，他当然会很生气啦。只不过他的这个行为有些过激，我来好好和他聊聊。”奶奶和蔼地说。

然后，她笑着对躲在树后的彼得招招手，“小伙子，快过来。”彼得怯生生地挪了过去。

“我不会责怪你，放轻松点儿吧。其实换个角度来看，如果不是你逼着克拉拉丢掉轮椅，她也不会这么快就能站起来走路了，这么说你还是克拉拉的恩人之一呢。我知道，你最近的日子也不好过，一直担惊受怕、躲躲藏藏是不是？我要告诉你，我们的内心都住着两个小人儿，一个是正义，一个是邪恶，当我们做了坏事儿时，那就是邪恶的小人儿占了上风；但是很快，我们会感到害怕、内疚，怕被人发现，这时，就说明正义又占据了我们内心的主体地位，说明我们还是善良的。是人都会犯错，不能因为犯错就否定自己，觉得自己是个坏人，然后整天躲躲藏藏，这样多难受啊。犯了错，就要承认，真诚地求得他人的原谅，只要你诚心悔过，就能得到宽恕。你懂了吗？”

“那，您和克拉拉能原谅我吗？我错了，这些天来一直过得很难受。”彼得羞红了脸，低声说。

“当然，我们都原谅你了。而且我还要奖励你，以后我每个月都会寄给你一便士，这算是作为你让克拉拉重新站起来的谢礼，也是给你诚心悔过的奖励。”

“真的吗？”彼得吃惊地张大了嘴巴，他没有想到奶奶不光没有责怪他，还每月寄给他零花钱。

“当然是真的，你是海蒂的朋友，我也是海蒂的朋友，所以我们也是朋友了。但是你要答应我，不能乱花钱，要学会攒钱，以后会有大用处，知道吗？”奶奶温柔地说。

“谢谢奶奶，您真好！我一定听您的话！”彼得高兴极了，手舞足蹈起来。看着他憨态可掬的样子，大家都笑了。这次彼得可顾不上被看笑话了，因为他心里的大石头终于落了地——摔坏轮椅的事再也不用像魔鬼一样萦绕在他脑中挥之不去了！

暖心的结局

彼得的心结解开后，整个高山牧场呈现出一片欢快的气氛。一顿丰盛又质朴的乡间午饭过后，大家围坐在屋外热烈地谈天说地起来。赛斯曼先生的眼睛始终不移开自己的宝贝女儿，现在的克拉拉活泼昂扬，连说话的声音都充满力量，一点也不像从前那个病弱的娇小姐了。

“爸爸，我能像今天这样站在您面前，全都多亏了爷爷。咱们一定要好好感谢他！”

“这是当然，”赛斯曼先生热切地说，然后，他走向正和奶奶相谈甚欢的牧场大叔，紧紧地握住了大叔粗糙厚实的大手，诚恳地说：“大叔，我必须把我内心的想法全都说给您听。克拉拉的母亲过世的这些年来，我从未体验过真正的幸福，这点您一定能够理解。虽然我有巨额财产，有看起来前途无限的事业，可我的女儿却一直缠绵于病榻，也感受不到自由，这样看来，我的那些成就又有什么价值呢？而现在，这些悲伤的顾虑都不见了，我的女儿恢复了健康，这都是因为您！语言无法表达出我对您的感谢，请告诉我，有什么我能为您做的呢？我一定尽力而为。”

爷爷笑了笑，若有所思地沉默了一会儿，回答道：“先生，我非常感谢您的理解。我已经一把年纪，别无所求了。只有一个牵挂，那就是海蒂。我想我是不能看着她成人了，请答应我，等我过世后，一定要帮我好好照顾她，不要让她长大后为了生计背井离乡。”

“大叔，您放心吧，您不说我也会照办的，”赛斯曼先生不假思索地说，“我已经把海蒂当作我的亲生女儿一样看待了。以后她的一切，我都会给她安排好。”

“海蒂在法兰克福时，我们已经看出来了，她并不适应那里的生活，但她仍然在那里交到了朋友。其中一位现在正在法兰克福处理退休事宜，就是去年秋天来看望过你们的克拉森医生。他已经决定来这里定居，和你们住在一起了。以后，海蒂就多了一个照顾她、保护她的人。我希望你们都能为了这个孩子，健康长寿。”

“是啊，大叔，你们都要好好的！”一旁的赛斯曼老夫人也真诚地说。她抱住海蒂，亲了又亲。这时，她突然想起了什么，“海蒂，你有没有什么心愿呢？奶奶也可以帮你实现。”

“当然有啦。我想把自己在法兰克福睡过的那张床，还有枕头和被子都送给彼得的奶奶，这边的天气太冷了，她只能裹着您送的厚围巾在床上取暖，太可怜了。奶奶，您能同意吗？”

“当然可以！海蒂，你真是个好孩子。”赛斯曼老夫人感动地说，“我马上拍电报回去，让罗藤梅尔把床托运过来，保证彼得的奶奶过两天就能睡上软和的床。”

海蒂听了这话，高兴得手舞足蹈：“太好了，谢谢您！我现在就下山去找彼得的奶奶，她好久没见到我了，一定很想我！”

“海蒂，你不能说走就走，咱们还有客人呢！”爷爷说道。

“大叔，孩子说得对，因为我们的缘故，海蒂已经太久没有陪伴那位老夫人了，我们一起去看看她吧，怎么样？”赛斯曼老夫人看向了自己的儿子。

这正合赛斯曼先生的意，其实他此行是想邀请母亲和自己一起去瑞士旅行，只是不知道克拉拉的身体状况能不能同行，现在看来克拉拉也完全可以一起去，他决定明天就带老夫人和克拉拉一起走，享受天伦之乐，正好今天也看望一下彼得的奶奶，遂了大家的心愿，顺便就此和这里的朋友道个别。

于是一行人来到了山间小屋。一进门，海蒂就兴奋地告诉彼得奶奶：“奶奶，您不用再为天冷发愁了，法兰克福的奶奶答应送您一张新床，过两天就会到这里了！”彼得奶奶听了，感激不尽，诚恳地对赛斯曼老夫人说：“您真是好人，有您这样的人照顾海蒂，我们都很放心。”但奶奶顿了一顿，又有些不舍地问道，“您这次，是要把海蒂带走吗？”原来，她以为海蒂又要去法兰克福了。

“不，海蒂更适合这个美丽的地方，她也很舍不得您，所以请您放心吧，我们不会再带走她了，只要想念她了，我们就会来看她的。以后我们每年都会来阿尔卑斯山，是这里让我的孙女恢复了健康。”赛斯曼老夫人友好地握住了彼得奶奶的手。

听到这话，彼得奶奶露出了舒心的笑容，她激动得什么也说不出来，只是一直紧紧握着赛斯曼老夫人的手。海蒂在一旁看得也十分感动，她搂着彼得奶奶说道：“奶奶，我会一直陪着您的，一切都会好起来的！”

“是的，有这些善良的人帮助我们，一切都会好起来的。”彼得奶奶说。

“夫人，我们也该告辞了，明年再来探望您，请您一定要健康长寿。”赛斯曼老夫人向彼得奶奶辞行，彼得奶奶也再次表示了对赛斯曼一家的感谢。

之后，赛斯曼先生便和老夫人一起下山去了，牧场大叔抱着克拉拉，领着海蒂又回到了山顶的茅屋。

第二天，到了克拉拉离开的时候了，她十分不舍，泪光闪烁。海蒂安慰她：“明年的夏天很快就会来的，到时候我们再见，那时你就能自己走上山了。我们天天都去放羊、采花，你说好不好？”

克拉拉这才擦去了眼泪：“我们一言为定！”

赛斯曼先生早就到了牧场，来接克拉拉下山，他和牧场大叔说了一会儿话，就示意两个小姑娘该分别了。克拉拉坐上奶奶骑过的白马，下山去了，她已经不需要滑竿了。

海蒂跑到山坡上，对着克拉拉和赛斯曼先生不停挥手告别，直到他们的身影消失到视线之外。

几天后，床运来了，赛斯曼老夫人还寄来了一大包保暖的冬衣。奶奶在白天也能穿得很暖和，不用再在角落里瑟瑟发抖了。晚上，她也能睡得很香甜，每天，她都带着感激醒来和入睡。

没多久，克拉森医生也按照赛斯曼先生说的那样来到了这里，还是住在德芙里的小旅馆里。之后，他听从牧场大叔的建议，搬到了之前海蒂和大叔住过的老房子里。现在，克拉森医生命人把老房子的一半改建成了自己的住宅，另一半则修缮成了海蒂和大叔的冬季住所。在房子后面，还专门设了羊圈。医生和大叔的友情与日俱增，成了亲密无间的朋友，经常一起去看老房子的施工进展。

有一天，他们像往常一样来看房子。医生真挚地对大叔说："我对海蒂的疼爱，和您是一样的，我会和您一起全心全意地照顾她，也希望我年老的时候，她能陪在我身边，我会把我的所有都留给她，让她拥有我亲生女儿会拥有的一切。"大叔听了这话，许久没有说话，只是眼角湿润地紧紧握住医生的手里，脸上写满了感动。

此时，海蒂和彼得正围坐在彼得的奶奶身边。海蒂滔滔不绝、声情并茂地讲述着整个夏天发生的事儿，彼得则在一边聚精会神地倾听。两个孩子和奶奶都十分开心。布丽奇在一边看着这一幕，心里也暖洋洋的。幸福其实就是这样平淡温暖，只要抱着感恩和真诚的心，无论在法兰克福的大房子里，还是在高山牧场的小屋中，幸福都会无处不在。小朋友，你觉得对吗？

图书在版编目（CIP）数据

海蒂 /（瑞士）约翰娜·斯比丽著；学而思教研中心改编 . -- 北京：石油工业出版社，2020.10
（学而思大语文分级阅读）
ISBN 978-7-5183-4093-4

Ⅰ. ①海… Ⅱ. ①约… ②学… Ⅲ. ①儿童小说－长篇小说－瑞士－近代 Ⅳ. ① I522.84

中国版本图书馆 CIP 数据核字（2020）第 106031 号

海　蒂

［瑞士］约翰娜·斯比丽　著　　学而思教研中心　改编

策划编辑：王　昕　曹敏睿
责任编辑：马金华　冷　洪
责任校对：郭京平
执行主编：田　雪
改　　写：陈　璐
出版发行：石油工业出版社
（北京安定门外安华里 2 区 1 号 100011）
网　址：www.petropub.com
编辑部：（010）64523616　64252031
图书营销中心：（010）64523731　64523633
经　　销：全国新华书店
印　　刷：捷鹰印刷（天津）有限公司

2020 年 10 月第 1 版　2020 年 11 月第 2 次印刷
710×1000 毫米　开本：1/16　印张：12.5
字数：135 千字

定价：34.80 元